日本の伸びしろ

悲観を成長に変える思考力

出口治明

文春新書

1380

はじめに

山積する課題の中に伸びしろがある

いま日本には「未来に期待できない」「希望が持てない」という人が少なくありません。それもいわゆるエリートとされる人たちや大学生など、社会の動きに関心のある知的な人たちが失望感、無力感を口にしがちです。

たしかに現在の日本は、問題だらけです。

一人当たりＧＤＰは、二〇〇〇年に世界第二位だったのが、二〇二一年には二八位まで落ち込んでいます。アメリカのようにこの三〇年間に平均給与が一・五倍から二倍近くに増えた国々があるというのに、日本はほぼ横ばい。政治、経済、働き方……と現在の日本はあちこちに欠陥があり、問題・課題が山積しています。

しかし、最も深刻なのは低成長や人口減などの個々の課題ではなく、「日本はもう何をやってもよくならない」と考えてしまうことです。僕の考えでは、この「悲観」こそ、現在の日本の最大の問題点なのです。

問題・課題の山を前にすると、誰でも「どこから手をつければいいのか」と途方に暮れてしまいます。しかし、問題・課題を解きほぐしていくと、一つひとつは意外とシンプルなことがほとんどです。

つまり、一つひとつ問題の解決策を探り、課題をクリアしていけばいい。その意味で、三〇年以上も問題・課題を溜め込んできた日本は、改善の余地が山ほどあります。改善点とはすなわち「伸びしろ」です。現在の日本がどん底の状態であるなら、裏返せば、大きく飛躍するチャンスです。

〝日本の伸びしろ〟は大きい。

プラス思考で捉えたら、日本の将来に絶望するのが間違いであることに多くの方が気づくでしょう。現在の日本が抱える問題・課題を一つひとつ解きほぐし、〝日本の伸びしろ〟を明らかにするのが本書の狙いです。

この本が企画され、制作がスタートしたのは二〇一九年七月のことでした。完成までに三年あまりかけたことになります。

この三年間に、世界と日本を揺るがす出来事がいくつも起こりました。世界を揺るがしたものは、新型コロナウイルスの感染拡大、全世界的な経済停滞、ロシアのウクライナ侵攻などです。国内でも、新型コロナが猛威をふるい、ニューノーマルといわれたように、生活様式や働き方が大きく変化しました。日本の政治は安倍晋三内閣から菅義偉《すがよしひで》内閣、岸田文雄内閣へと代わり、経済では、今年になって二四年ぶりの大幅な円安となり、高水準の物価高に見舞われています。安倍元首相が参院選の遊説中に暗殺されるというショッキングな事件も起こりました。

世界と日本はこの三年間で大きな変化を経験しましたが、日本が置かれている状況はあまり変わっていません。

政治、経済その他が混乱したことで、日本の弱点が強く意識されたのはたしかです。たとえば、新型コロナウイルスの感染が広がると、世界中の医薬関係者は特効薬やワクチンの開発競争に突入しました。しかし競争の先頭集団に、日本の研究者や製薬会社は、残念ながら入っていませんでした。世界に大きく後れをとったのは、おそらく理系分野の教養ともいえる基礎研究をおろそかにしてきたからです。

日本では、研究成果が早く出る最先端分野は高く評価されがちな一方、成果が出るまで年月のかかる地味な基礎研究は評価されにくいのが実情です。だから、基礎研究が活かされる新型コロナの特効薬やワクチンの開発では国際競争で負けてしまう。優秀な研究者はたくさんいるのに、国内の環境が足を引っ張ったのです。

この三年間に起きた劇的な環境変化は、日本の弱点をいくつも浮き彫りにしました。しかし、弱点がわかれば道は開けます。僕にいわせれば、〝日本の伸びしろ〟がより鮮明になってきたのです。

リハビリという新たなチャレンジ

僕個人にも大きな変化が起こりました。二〇二一年一月に脳卒中で倒れたことです。

僕は「医者は大嫌い」と公言してきたほど、健康に恵まれてきました。もともと大食漢ですから、七〇歳を過ぎてもステーキの五〇〇グラムぐらいは平らげ、風邪を引いてもたくさん食べて、たくさん寝て治す、という調子でした。

いま思えば、自分の健康を過信していたのです。健康管理といえば、健康診断を年に一回受ける程度で、人間ドックは敬遠していました。お医者さんに「血圧が高いから注意してください」と言われても、気にしないでよく食べよく飲み、忙しく働いていました。秘書の記録によれば、二〇一九年は、移動日を除いて三二二日も働いていたそうです。七二歳になって初めて入院したのが、脳卒中という生死にかかわる大病だったのです。

倒れたのは、福岡のホテルでした。二一年一月九日は、亡き母の四十九日法要が故郷の三重で営まれることになっていました。僕は立命館アジア太平洋大学（ＡＰＵ）の学長として大分県別府市に単身赴任しているので、移動のために福岡で前泊しました。

当日の朝六時頃、急に気分が悪くなり、自分で救急車を呼びました。搬送中に意識を失い、目が覚めたら病室のベッドでした。家族がお医者さんから受けた説明によると、大脳の左側で出血する左被殻出血《ひだりひかくしゆつけつ》でした。脳の症状と僕の年齢から判断して、手術はせずに薬で治療することになったのです。

大脳の左側で出血したため、右半身が麻痺していました。右手、右足の感覚はあるのに思うように動かせない。言語中枢を損傷したらしく、話すこともできません。お医者さんが言うことは理解できるのに、頭に浮かんだことが言葉にならない。口から出るのは「はい」とか「あー」とかぐらいでした。左被殻出血の障害に多い失語症になったのです。

福岡の病院で一カ月あまり治療を受けたあと東京へ移動し、原宿リハビリテーション病院で本格的なリハビリを開始しました。その頃でも、右半身の麻痺でイスに座ることや左足で立ち上がるのがやっとという状態でした。もちろん、食事やトイレには介助が必要です。

七〇歳を過ぎて脳卒中で倒れると、病後に自宅で生活できるか、介護施設に入るかという問題になります。一般的には、自宅復帰をめざしてリハビリに励むことになります。

しかし僕は、医師とリハビリのスタッフに「学長の職務への復帰をめざしたい、また講演活動ができるようになりたい」と伝えました。この目標設定は高く、当然、厳しいリハビリになります。

しかし僕自身はいたって楽観的でした。身体の不自由さや失語症はいずれよくなると考えていたのです。

僕は著書や講演で、何か考えるときは数字・ファクト・ロジックが大切だと語ってきました。この三つで考えれば現実を直視でき、不安や心配に襲われることはありません。

僕なりの目標をお医者さんと療法士さんたちに伝えると、「大丈夫です。一年ぐらいで職場復帰できるでしょう」と言われました。専門家が太鼓判を押してくれたのですから、あとはその言葉を信じて頑張るしかありません。

楽観的に前に進む

しんどいときほど、元気に明るく楽しく取り組む――会社員時代から僕がモットーにしてきたことです。落ち込んだり心配したりは時間のムダ。確実に前進できる、伸びしろはある、と確信したら、あとは自分を信じてとにかくやりきるだけです。

先生方と取り組むリハビリとは別に、自分ではじめたことがあります。ポプラ社の『えんぴつで○○』シリーズを使った言葉と手書きの訓練です。このシリーズは『論語』『老子・荘子』『菜根譚』『万葉集』『源氏物語』『枕草子』『徒然草』『風姿花伝』『奥の細道』など古典作品が中心で、薄く印刷された文章の一部を鉛筆でなぞっていきます。利き手の右手は麻痺していますから、鉛筆を持つのは左手です。文字を書きながら声に出して読む。言葉を取り戻すのに最適の訓練だと思って一四冊をクリアしました。

六月頃には着替え、洗面、トイレなどの動作ができるようになり、八月に退院して東京の自宅に帰りました。電動車椅子で移動する生活です。自宅に療法士さんがきてくれる訪問リハビリテーションがはじまりました。とくにしゃべる力は復帰するうえで重要ですから、言語療法には重点的に取り組みました。

二二年一月から少しずつ学長職の仕事を再開しました。東京駅のそばにあるＡＰＵの東京キャンパスへ出勤し、テレビ会議システムを使ってＡＰＵと京都の立命館大学で開かれている会議に参加するのです。倒れてからちょうど一年間かかりました。

東京キャンパスには、ひとりで通勤しました。電動車椅子で自宅を出発し、最寄りのＪＲ目白駅で山手線に乗る。東京駅に着いてからも、ひとりで東京キャンパスへ向かう。その間、駅員さんの手を借りることなく、電車とエレベーターを乗り降りして移動しました。

インタビューをもとにした書籍の制作も再開しました。リハビリの成果は、自ら動いて仕事に復帰することで確認できます。東京キャンパスへの通勤だけでなく、ひとりで映画館へ出かけるなど、生活をエンジョイすることにも挑戦しました。

別府に戻ったのは三月三一日です。翌四月一日に開かれたＡＰＵの入学式が、学長職への本格的な復帰になりました。式典では電動車椅子で舞台を進み、学長挨拶として二分間ほどスピーチしました。

「みなさん、入学、おめでとうございます。心から歓迎します。僕は、去年、脳出血で倒れましたが、早くＡＰＵでみなさんと会いたい想いで、この一年間リハビリを頑張ってきました。今日、別府でみなさんに会えることを心待ちにしていました。ぜひ、みなさんはＡＰＵでたくさんの人と出会い、本を読み、広い世界を旅して、いろんなことにチャレンジしてください。僕もチャレンジをつづけます。一緒にチャレンジしましょう。世界に平和な一日が一刻も早く訪れますように」

途中で言葉が詰まることもありましたが、新入生たちに僕の想いは伝えられたと思います。

僕の職場復帰を見て、「よく頑張りましたね。私ならもうダメだと絶望して、リハビリに打ち込めませんよ」と褒めてくれる方がいます。しかし、僕はもともと悲観的な考え方が嫌いで、何ごとも楽観的に取り組んできました。

今回のリハビリも同じです。突然の病気に倒れるのは運命だから、嘆いてもしょうがない。専門家に一年で復職できると言われたら、信じて頑張るしかない。発想はきわめてシンプルです。

別府に戻ってからは、介護サービス付きのグループホームに住み、電動車椅子ごと乗れる大型タクシーでＡＰＵに通っています。朝九時に到着し、九時から一七時三〇分頃まで学長としての業務をこなし、またタクシーでホームへ帰ります。通常は月曜から金曜が出勤日ですが、土曜に出勤することもあります。二〇二三年四月に新しい学部を開設するため、職員たちと会議を重ねるなど準備に大忙しなのです。

観光とサステイナビリティ

リハビリの先生たちに「学長職への復帰をめざす」と言ったのは、どうしても大学に戻りたい理由があったからです。それは「第二の開学」を控えていたからです。

僕は二〇一八年一月にＡＰＵの学長に就任し、三年の任期が終わる前に再任が決定しました。福岡で倒れたのは、二一年一月一日に二期目がスタートしたばかりというタイミングでした。

当時は、新型コロナの影響で留学生の多くが来日できない状況でした。ＡＰＵは学部生約五三〇〇人、大学院生約二二〇人のうち、約半数が外国籍の学生です。二〇二〇年度の新入生は別府に来られなくなり、休み期間中に母国へ帰っていた学生も戻れなくなりました。しかし、現在は外国人留学生の数は、コロナ禍以前に戻りました。何よりも活気が出てきました。

学長職に早く復帰したかった理由である「第二の開学」の最大の目玉が、先ほど触れた新学部の開設です。

APUは二〇〇〇年の開学から、アジア太平洋学部と国際経営学部の二学部制でした。三つ目の学部として二三年四月に開設するのは「サステイナビリティ観光学部」というものです。観光学部は他大学にもありますが、APUではサステイナビリティ（持続可能性）を重視した観光学の研究と教育を進めたいと考えています。

僕たちが住む地球では、資源の枯渇、環境汚染、気候変動などの問題が深刻化し、経済格差の拡大や地方の衰退といった社会課題も大きくなっています。サステイナビリティ観光学部は、「観光はサステイナビリティであり、サステイナビリティのあるものは観光である」に注目した点が特徴です。持続可能な社会づくりを研究する「サステイナビリティ学」と、地域の経済・文化に影響を与える「観光学」の両面から、二一世紀に不可避な課題に取り組むことが目標です。

APUがある大分県別府市は、日本では指折りの観光地です。温泉、グルメ、絶景スポット、歴史、文化などの観光資源があり、日本全国からも海外からも多くの観光客が訪れます。その別府で、一〇〇を超える国と地域から集まってきた学生たちが、サステイナビリティ観光学を勉強する意義は大きい。地元の方々とのコラボレーションもいろいろ考えられます。僕としてもたいへん楽しみで、新学部の開設を「第二の開学」と位置づけ、学長直属プロジェクトとして進めてきました。キャンパスでは新しい教学棟も建設中です。

日本経済にとって、観光学は将来への期待が大きい分野です。コロナ禍によって外国人観光客は一時的に減りましたが、インバウンドが日本経済の成長を支える柱の一つになることは間違いありません。

観光学の視点からも、日本の課題は見えてきます。

観光地には、それぞれ独自の魅力があるものです。よそとは違う特別な魅力がなければ、観光客は集まってきません。

しかし、よそと違うだけでは充分とはいえません。世界中から観光客が集まるには、グローバルなニーズに応《こた》えていく必要があります。ご飯がおいしい、道が歩きやすい、ホスピタリティがあるといったことは、グローバルに好まれる価値でしょう。

グローバルのニーズに応えながらも、独自の価値や魅力を打ち出して満足度を高める。この大原則は、観光地そのもののサステイナビリティも高めます。

外部からたくさんのお客さまを招き入れて楽しんでもらうことは地域独自の魅力をさら

に高め、地元の人たちは自分たちの文化に誇りをもち、ずっと維持していこうと頑張る。それが、僕のイメージするサステイナビリティであり、要するにサステイナビリティがなければ観光ではないのです。

ここに、日本がグローバル社会で生き残っていくうえで重要なヒントがあるように思います。つまり、グローバルに通用する価値と、ローカルな独自性を両立させること。これこそ明治維新以来の日本の得意技ではないでしょうか。ここにも〝日本の伸びしろ〟はあります。

僕はこれまでずっと旅・本・人の三つが自分の教養を高め、何か思考する際の糧《かて》になっていると思ってきました。世界各地を旅してまわり、たくさん本を読んで先人の知恵を学び、できるだけ多くの人に会って新しい情報に触れて刺激を受ける。教養が高まれば、人生が豊かになって楽しくなるものです。

重要な概念を一つ挙げれば、モビリティ（動きやすさ）です。

ひとりの旅行者としてつくづく思うのがトイレとゴミ箱の大切さです。旅先でレストランに入る。トイレを利用して「清潔で気持ちがいいな」と思うと、心置きなくビールが飲めます。トイレが汚いと、あまり利用したくないからビールを控えます。レストランは、トイレをきれいにするだけで、顧客単価が伸びるのではないでしょうか。

ゴミ箱も大切です。観光の最中に何か買ってゴミが出たら面倒です。ポイ捨てするわけにはいきませんから、ゴミを持ち歩くことになる。観光地などで「ゴミはお持ち帰りください」などの貼り紙を見ると残念でなりません。「カバンに入っているゴミを捨てられたら、あと一つ二つお土産が買えるのに」と思うからです。

あちこちにゴミ箱を設置すれば、ポイ捨ては減り、観光客はたくさんおカネを落としてくれる。ゴミ回収の手間だけに気をとられると、経済的な好循環が見えなくなります。旅行者の視点で考えることが重要なのです。

さらにいえば、買ったお土産品を持ち歩くのも、観光客のモビリティを低下させます。お店によっては、買ったお土産をそのまま宅配してくれるサービスもあります。観光客は荷物が少ないほど、あちこちよく歩きまわり、よく消費する。観光客を手ぶらにして、モビリティを高めることこそ、観光地が取り組むべき「伸びしろ」なのです。

トイレ、ゴミ箱といったささいなことでも、視点をちょっと変えるだけで伸びしろは発見できる。〝日本の伸びしろ〟が身のまわりにいくらでもあることがおわかりいただけるでしょう。

車椅子とベビーカー

モビリティといえば、電動車椅子で移動するようになって、初めて気づいたことがあります。

先ほど説明したように、僕は二〇二二年一月からＡＰＵの東京キャンパスに通いだしました。山手線で目白駅と東京駅をひとりで往復する。山手線の車両は、乗り降りするドアが片側に四カ所あります。一一両で走りますから、ドアは合計四四カ所です。ところが、電動車椅子で乗り降りできるドアは片側に二つしかありません。四四カ所のうち、たった二カ所です。これはあまりに少なすぎる。せめて四つに増やしてほしい。

電動車椅子で乗り降りできるドアは、ベビーカーと一緒に乗る人たちも利用します。車椅子にとって便利なドアは、赤ちゃん連れの子育て家族にも便利なのです。

そこで調べてみると、ベビーカーと車椅子を必要とする人たちはおよそ五〇〇万人いるそうです。ベビーカーの人が約二五〇万人、車椅子の人が約二五〇万人でほぼ同数です。

都内で電車に乗っていると、ベビーカーを押す人たちは珍しくありません。通勤ラッシュの時間帯を除くと、駅のホームで二台三台のベビーカーを見かけてもおかしくないでしょう。

ところが、僕のように電動車椅子で移動している人は、めったに見かけません。どちらも約二五〇万人ずついるなら、ベビーカーと同じくらい頻繁に車椅子を見かけてもおかしくないはずです。

「そうか、車椅子の人たちはあまり外出しないんやな」

山手線のなかでハタと気づきました。バリアフリーと言われだしてからずいぶんたつのに、車椅子の人たちが自由に街なかを動きまわれる環境がまだ整備されていないのです。

「車椅子の人々は病院に行くだけ」。あとは家の中でひっそりと暮らしているのです。

とはいえ、山手線も含めて、都内はバリアフリー化が進んでいるほうです。別府に戻ってから「都内はひとりで映画を観にいけるし、便利だなぁ」と思いました。公共交通機関が少ないと、車椅子の人が病院に通うとしたら、僕が利用しているような大型タクシーを呼ぶことが多いでしょう。しかし大型タクシーは一回あたり五〇〇〇円ほどかかりますし、日によっては予約できないほど台数が足りません。

バリアフリーの整備がもっともっと進んだらどうなるでしょう。街なかではベビーカーも車椅子も、いまより多く見かけるようになります。移動する人たちが増えるということです。社会に活気が出てきます。

人の動きを活性化する社会へ

移動は、人間にとって重要です。移動しなければ、旅行も人に会うこともできません。言論の自由、信教の自由、職業選択の自由などと並んで、移動の自由は基本的な権利の一つです。コロナ禍によって自粛生活、巣ごもり生活を強いられた時期、移動のありがたさを再認識した方もいることでしょう。

人間が活発に移動すれば、経済活動も盛んになります。買い物に出かける、レストランでおいしいご飯を食べる、旅行する……これはすべて移動が伴う経済活動です。近年ではアマゾンやウーバーイーツなど、家に居ながらにして買い物や飲食店の料理を食べることができるサービスも増えてきました。これも物流業者の活発な「移動」あってのことです。

もっと範囲を広げて考えれば、国や地域の交易も、移動できることが前提です。江戸時代のように外国との自由な交易が禁じられ、海外旅行ができなくなれば、国内に便利なモノや情報が入ってこなくなります。

僕のように電動車椅子で移動しまくる人がもっと増えたら、お店もレストランも売上があがるはずです。労働人口も増えます。現在はリモートで在宅勤務ができる職種もありますが、オフィスや店舗に出勤する仕事はたくさんあります。電動車椅子に乗ってひとりで通勤する人が増えれば、人手不足の有効な対策となる職種もあるでしょう。

人々が活発に移動する社会は活気があり、経済成長も期待できます。身体に障害があっても自由に移動できる社会は、みんなにとって住みやすいはずです。

自分が電動車椅子に乗るようになり、移動の大切さ、バリアフリーの大切さを痛感しました。日本社会の課題を改めて認識し、また一つ〝日本の伸びしろ〟が発見できたわけです。

問題・課題が山積みの日本は、それだけ伸びしろが大きい。伸びしろに気づいたら、次は具体的な対策を考え、実行していくだけです。七〇歳を過ぎた僕が脳卒中で倒れても、リハビリに集中して学長職に復帰したプロセスと原理原則は同じです。僕が学長職に復帰できたのだから、日本も必ず活気を取り戻せる。

さあ、これから一つひとつ〝日本の伸びしろ〟を見ていくことにしましょう。

日本の伸びしろ

悲観を成長に変える思考力◎目次

第一章　日本の伸びしろはどこにある？

いまの日本はなぜ元気がないのか

日本は世界のなかで、経済的にかなり恵まれている国の一つです。経済的、物質的には、現在の暮らしに大きな不満はない、という方は少なくないでしょう。

その一方で「日本社会は元気がない」と言われます。GDPで世界第三位の経済大国にもかかわらず、社会はいまひとつ元気がない。僕自身もそう感じることはあります。

いまから三〇年ほど前、世界は大きな変化を経験しました。日本では昭和から平成になる頃です。ベルリンの壁が壊され、ソビエト連邦が崩壊し、四〇年以上つづいた東西冷戦構造が終焉して、ヒト、モノ、カネが世界中を往き交うグローバル社会ができていきます。同時にデジタル革命が起こり、大量の情報が瞬時に伝達されるようにもなりました。

当時、日本はアメリカに次ぐ世界第二位の経済大国でした。ところが、一九九一年にバブル経済が崩壊すると、日本経済は「失われた二〇年」「失われた三〇年」と呼ばれる長い長い低迷期に入ります。高度成長期、バブル経済期に働いたことのある世代は、すでに五〇代以上となっています。それより若い世代は、日本経済の低迷期しか知りません。

「頑張ったところで何も変わらない」

「努力してもムダ」

と諦めムードが染みつき、元気を失っているのも当然でしょう。

マスメディアもずっと悲観的な気分をあおってきました。

「ろくな就職先はないし、就職できてもブラック企業」

「おカネは貯まらないのに、ストレスは溜まる一方」

「子どもは欲しいけど、収入が少ないから結婚できない」

「年金制度はやがて破綻し、老後は悲惨」

そのような悲観論が蔓延《まんえん》すれば、明るい未来を描けるはずがありません。夢も希望もない、がデフォルトになっているのです。

悲観論に浸りきった社会が元気なはずはありません。フランスの哲学者アランに次の箴《しん》言《げん》があります。

「悲観主義は気分に属し、楽観主義は意志に属する」

悲観的な気分は感染しやすいものです。いいニュースより、わるいニュースのほうが人びとの心をつかむのと同じです。週刊誌やネットメディアで、やたらと危機感をあおるタイトルが目立つのは、悲観論がよく読まれるからでしょう。

悲観論はいつも外れる

しかし僕が知るかぎり、過去に広まった悲観論のほとんどはハズレでした。もっともらしくて、信じる人がたくさんいた悲観論でも全敗、といってよいほどです。

代表的な例は、連合王国（イギリス）の経済学者トマス・ロバート・マルサスが『人口論』で述べた「これから地球は、人口の増加率が食糧の増加率を上まわり、人類は深刻な食糧難や貧困問題に直面する」という予測です。この『人口論』は一七九八年に刊行されたもので、似たような予測はいまも語られています。

もちろん、この予測は大ハズレでした。二〇〇年以上たった現在、マルサスがいう深刻な食糧難は起きていません。人口増を上回るスピードで、食糧の増産が進んだからです。マルサスの予測には、技術革新が含まれていなかったのです。

兵器に関する悲観論もありました。

第一次世界大戦で開発された毒ガス、第二次世界大戦で開発された核兵器によって人類は滅ぶという予想です。いったん使いはじめたら歯止めが利《き》かなくなり、人類が滅びるまで殺しあうという理屈です。

たしかに毒ガスも核兵器も過去に使用されました。しかし人類は「本格的にやりあったらえらいことになるで」と気づき、国際的に禁じ手とされて、その後は使用を控えています。人類は、何も考えずに新しい技術を使うわけではありません。一時的には暴走しても、大失敗すれば反省し、考えを改めます。

「石油は三〇年で枯渇する」はウソだった

僕自身の人生を振り返っても、「悲観論はアテにならんなぁ」と思う出来事はいくつもあります。たとえば「石油というエネルギー資源はいつ枯渇するか」という予測です。

わが家ではじめて石油ストーブを使ったのは僕が一四歳の頃でした。ふるさとの三重県一志《いちし》郡美杉《みすぎ》村（現・津市美杉町）でのことです。石油ストーブの登場があまりに衝撃的だったので鮮明に記憶しています。

それまでは火鉢を使っていました。炭は自家製です。夏休みになると親父に連れられて山へ出かけ、生木《なまき》を切って乾かし、ナタで割って薪《まき》や炭をつくったのです。

これはなかなかの重労働でした。冬に暖をとるため、夏から準備しておく。いま考えると、気が遠くなるほどの手間です。

わが家の炭づくりは、石油ストーブの登場で不要になりました。重労働から解放されたうえに、火鉢よりもめちゃくちゃ暖かい。文明の利器に心底からありがたみを感じました。しかし中学校の社会科で「石油の埋蔵量には限りがあって、あと三〇年ほどで採り尽くしてしまう」と習いました。僕はその科学的な予測を聞いて、「それじゃあ、僕が四五歳ぐらいになったら、また山へ木を切りに行かなあかんのか」と気が重くなりました。石油は三〇年で枯渇するという予測は、当時は誰も反論できない〝常識〟だったのです。

実際は違いました。あれから六〇年たった現在も、石油ストーブを使っていますし、ガソリン車が走っています。いまやグリーン・エネルギーが台頭したことで「石油に依存する時代は終わった」と語る人もいるほどです。

僕たちが直面する本当の問題は、誰も指摘しなかったものがほとんどです。その代表は、日本の大問題である人口減少です。昭和の終わり頃まで「日本は狭いのだから、このまま人口が増えつづけたら大変だ」「住む場所がなくなる」と逆の悲観論が蔓延していました。

当時は「人口減少が心配だ」と言ったら笑われたでしょう。人間は遠い将来が見通せるほど賢くないということです。

「三〇年後には危機的状況」「五〇年後は悲惨」などの悲観論は、たいてい〝石油の枯渇〟と同じです。どうせ間違えるなら、楽観論に騙《だま》されたほうが元気に頑張るのだから、人生にはプラスかもしれません。

こうした悲観論の蔓延は、日本に限った話ではありません。心理学では「ネガティブ・バイアス」といって、ポジティブな情報よりネガティブな情報のほうが注意を引き、記憶に残りやすいと説明されています。

このネガティブ・バイアスがあるから、人類は危険を回避して生き延びてきました。人間は天《あま》の邪鬼《じゃく》な生き物なので、平穏な日々を望んでいながら「みんな幸せに暮らしています」ではおもしろくないようです。「実は、こんな不幸がありました」のほうが興味を引きますし、「他人の不幸は蜜の味」なのです。人間は「大変や、大変や」と叫ぶオオカミ少年に弱い、と心得ておくほうがよさそうです。

「幸せな社会」を具体的に考える

明るい未来を思い描くなら、原点に返って「人間はどんなときが幸せか」と考えてみるのが近道です。人間の幸福は、次の七つぐらいに集約できるのではないでしょうか。

・おいしいご飯がお腹いっぱい食べられる。
・いつも安心して眠れる。
・住みたい場所に住み、行きたいところへ行ける（移動の自由がある）。
・安心して赤ちゃんを産める。
・自分がなりたい職業に就ける。
・上司の悪口が言える（言論の自由がある）。
・GDPの成長率が一定程度ある。

これらの条件が満たされたら、人間は最低限の幸福を得られると僕は考えています。どれか一つでも欠ける社会は、そこに生きる人たちがしんどさやストレスを感じます。僕が国や企業を評価する際の重要な基準です。

歴史上のある時代を考える場合にも当てはまります。

たとえば、江戸時代について次のような意見を聞くことがあります。

「二〇〇年以上も内戦がなく、おかげで独自の文化が栄え、みんながのんきに暮らすハッピーな時代だった」

僕の基準から見ると、江戸時代は日本史のなかでも、最低の部類に属します。徳川幕府が二〇〇年もつづけた鎖国政策のせいです。

外国との交易は、国を富ませ、人びとが豊かに暮らすためには必要不可欠です。自国にないものが手に入ると同時に、外国の文化や知恵も一緒に入ってくるのが交易です。

自国が不得意な製品は輸入し、得意分野に資源を集中してさらに伸ばす。国際分業が進むほど、お互いに発展できるメリットは大きいのです。

交易が制限された江戸時代は、自国の資源だけが頼りでした。だから飢饉《ききん》や凶作に見舞われると、食糧不足に陥って餓死者が続出しました。何かあると、すぐおいしいご飯が食べられなくなる状況でした。飢饉の原因は地球の気候変動で、寒冷化による農作物の不作は世界各地で起こりました。しかし江戸時代が不幸だったのは、地球寒冷化だけが原因ではありません。政策も問題だらけでした。大飢饉が三度も四度も起こったのですから、その被害を少しでも小さくするのが政治ですが、それができませんでした。
「ここに住んでいたら死んでまうぞ」と気づいても、現在のように引っ越すことはできません。当時の日本は三〇〇近くの藩が集まる連邦国家ですから、各藩は一つの国みたいなものでした。藩の外に引っ越せば、逃亡となるから命がけです。住みたいところに住み、行きたいところへ行くことが許されない時代でした。

その結果、通婚範囲が限られて近親婚が増え、日本人の体格は小さくなりました。江戸末期は、日本人の平均身長と平均体重は史上最低レベルでした。外国人が『ガリバー旅行記』に出てくる「こびとの国」みたいだと驚くのも無理はありません。日本史上で最も体格が貧弱な時代だったのです。

戦争で死ぬことがない一方で、人口が約三〇〇〇万の時期に、一回の飢饉で一〇〇万人近くの死者が出ました。これでは安心して眠ることも、赤ちゃんを産むこともできません。

数字で示しましょう。日本のＧＤＰは、一七〇〇年前後には世界シェアの四％程度を占めていたと推計されています。鎖国直後の五代将軍綱吉の頃です。

現在、日本はＧＤＰ（購買力平価ベース）で世界第四位、世界シェアは約五％です。つまり、一七〇〇年頃の日本は、現在と同じぐらいの経済大国でした。

日本のＧＤＰがこれほどまでに拡大したのは一六世紀のことです。大きな理由として、世界通貨が銀の時代に石見《いわみ》銀山という世界屈指の銀山があったこと、織田信長が南蛮貿易を奨励するなど交易が盛んだったことなどが挙げられます。

ところが、江戸末期になると、日本のＧＤＰの世界シェアは二％程度と半分に落ち込みます。これは二〇〇年にわたる鎖国の影響です。交易がない状況では、外国の物品が入ってこないだけではなく、知恵も入ってきません。

僕が考える幸福の条件から見ると、江戸時代は非常に生きづらい世の中だったろうと想像しています。僕は絶対江戸時代に生まれたくはありません。

経済力がしぼむと国の存在感もしぼむ

幸福の条件を満たす社会にどうしても必要なものがあります。経済力です。おカネで幸せが買えるわけではないとはいえ、貧しいと幸せの条件が満たせないのも現実です。

しかも、自分ひとりがお金持ちになっても幸福の条件は満たせません。たとえば、おいしいご飯を食べるためには、市場に新鮮で上質の食材が並んでいなくてはいけません。清潔で雰囲気のいいレストランがあり、厨房《ちゅうぼう》に電気やガスが供給され、腕のいい料理人がいる。ご飯をいただくテーブルにはきれいな食器が置かれ、マナーを身につけた給仕係もいてほしい。

つまり、おいしいご飯を食べるには、各分野のインフラが整備され、人材が育っていないといけません。農業、漁業、流通、電気、ガス、建築、インテリア、食器づくり、料理人……と各分野のインフラとプロフェッショナルに支えられている。グローバル社会では、一国のインフラだけでは成り立ちません。最高においしいご飯を食べるには、世界中のインフラと人材が影響してきます。

来日したばかりの外国人は、日本のレストランが安くておいしいことに驚くことでしょう。コンビニのお弁当やスイーツも「数百円でこんなにおいしいものが買えるなんて」とビックリしています。驚かれるほど安くておいしい理由は、日本が経済的に豊かな国だからです。

日本はいまもＧＤＰで世界第三位の経済大国ですが、長期的に見ると、あまり自慢できない状況です。世界のＧＤＰに占める日本の割合が、ここ二五年で小さくなっているからです。

世界における日本のGDPシェアは、一九九五年には一七・六％でした。世界中で生みだした富の一八％ほどは、日本が稼いでいたのです。ところが、二〇一〇年は八・五％、二〇二一年は五・一％となっています。四半世紀で三分の一まで減ったということです。

このまま縮小傾向がつづくことは容易に想像できます。日本経済が現状を維持できても、新興国が経済力をつけてくるからです。

日本を抜いて世界第二位の経済大国になった中国は、一〇年ほど前は日本と大差ないGDPでした。しかしその後に高度成長がつづき、現在は日本の約三倍です。インド、ブラジル、ナイジェリアなどの新興国が同様に成長すれば、日本の世界シェアがさらに小さくなります。国際社会における日本のプレゼンス（存在感）はどんどん失われていくということです。

お金持ちの国は交易でたくさん商品を買うし、他国にお金を貸すことができるからプレゼンスが高い。豊かな国にはヒト、モノ、情報が自然と集まり、さらなる発展が期待されます。反対に、GDPシェアが縮小した国は、プレゼンスが下がり、他の国々から期待されません。日本は長期的に縮小の方向へどんどん進んでいるということです。

経済成長を諦めると日本はどうなるか

日本経済には成長が必要であり、国際競争力が弱くなるのは困る、と僕が説明すると、次のような質問を受けることがあります。

「日本は十分に成長したのだから、国際競争は新興国にまかせて、成長路線から脱したほうがよくないですか？」

「経済成長率を追い求めるのはしんどいから、幸福度指数を見るほうがよくないですか？」

どちらの質問も「成長は諦めて現状維持でええやんか」という基本認識のようです。

日本の街がきれいなのも、インフラが整っているのも、みんながおカネを稼いでたくさん税金を払っているおかげです。収入が減ったのに、税金は現在と同じぐらい徴収する、というのではいずれ国民の不満は爆発します。

そうなれば、国民の税負担を減らすしかありません。ムダな支出を減らす努力にも限界があるので、現在の〝豊かな日本〟を維持するのが難しくなります。

日本の経済成長率は、およそ一％前後の状況がつづいています。これは先進国のなかでも低レベルです。アメリカは約三％、ヨーロッパ諸国は約二％と日本よりずっと成長しています。

第三章で詳しく説明するように、一般に人口増加中の国は経済成長率が高くなります。その点、人口が増えているアメリカと比較するのは妥当ではないでしょう。しかし、日本と同様に少子高齢化が進むヨーロッパ諸国と比べても、経済成長率がおよそ半分というのは問題です。

経済成長がなければ、日本のＧＤＰ世界シェアを拡大することはもちろんできません。

解決策は意外なところに

国民の高齢化が進んだからといって、「もう、わしらは老大国や」と自ら衰退の道を選ぶのは誤りです。中国、インドも一九世紀には老大国と呼ばれました。しかし現在、再び世界経済の成長セクターとして復活しています。

とはいえ、いったん下り坂を転がりだすと、復活するには長い年月が必要です。いますぐ方向転換すれば、どん底まで落ちて再起に苦労することもありません。

　これから日本が伸びていくには、将来のビジョンが必要です。食糧や石油の例からもわかるように、未来の技術革新は予想がつかないところもあるので、一〇年先、二〇年先の未来を正確に見通すことは困難です。しかし、「あそこをめざしていこう」というゴール地点がなければ、誰も動きだしません。とりあえずであっても、ゴールの設定は必要です。

　日本経済がバブル崩壊後から停滞したのとは対照的に、アメリカ経済は長らく活況を呈してきました。その原動力となったのがＧＡＦＡＭです。グーグル（Google）、アップル（Apple）、フェイスブック（Facebook）、アマゾン（Amazon）、マイクロソフト（Microsoft）の五社です。このうちグーグルの上場企業名は持ち株会社のアルファベット（Alphabet）であり、フェイスブックはメタ（Meta）に社名変更していますが、本書では親しみのあるサービス名を含めてＧＡＦＡＭで説明していきます。

　ここ十数年、ＧＡＦＡＭはアメリカ経済を牽引する原動力であり、世界の時価総額ランキングでずっと上位を占めてきたのはご承知のとおりです。

　五社の時価総額の合計は、二〇二二年八月時点で一〇〇〇兆円を超えています。二〇二〇年四月には、五社で東証一部上場二一六九社の時価総額の合計を超えました（当時の市場区分)。二〇一〇年からの一〇年間で五倍に成長したのです。その間にアマゾンだけ見ても、年に平均三〇％という驚異的な成長率でした。

ＧＡＦＡＭは世界の最先端をいくＩＴ企業であり、他の企業が利用するＳＮＳサービスやＯＳのプラットフォームを提供してきました。世界のＩＴビジネスは、この五社が提供したサービスの上で展開されたといっても過言ではありません。

世界には、次世代のＧＡＦＡＭをめざしている企業があります。ユニコーン企業です。

ユニコーン企業は「企業価値が一〇億ドル以上」「設立一〇年以内」「未上場」という三条件を備えた企業です。「中世ヨーロッパの伝説上の動物である一角獣ぐらい世にも珍しい」という意味でユニコーン企業と呼ばれています。将来のＧＡＦＡＭは、このユニコーン企業から出てくる可能性が高いというわけです。

二〇二二年現在、世界には一〇〇〇社を超えるユニコーン企業があります。そのうち半数以上はアメリカ企業で、二位は香港を含む中国で一八〇社です。欧州、東南アジアの企業も頑張っています。それに引き換え、日本は残念なことに一〇社しかありません。世界第三位の経済大国なのに、わずか一〇社は少なすぎるでしょう。

昭和の時代にはホンダ、ソニーをはじめベンチャーから大企業に成長した会社がいくつもありました。バブル崩壊後はベンチャーが育ちにくく、ソフトバンク、楽天などのＩＴベンチャーを除くと、日本経済を牽引《けんいん》したのは昭和からある大企業でした。

僕が思い描く明るい未来は、日本から第二のＧＡＦＡＭやユニコーン企業が続々と生まれ、世界経済を席巻する状況です。一九八〇年代には日本企業が世界経済を引っ張っていました。四〇代以上はご記憶にあるでしょう。あのときにできたことが、これからできないはずはありません。

もちろん、僕の描く明るい未来は、そう簡単にはやってきません。いくつかの条件があって、一つずつクリアしていかなくてはいけないからです。

僕がとくに重要と考えるのは「高学歴社会」「女性活躍」「ダイバーシティ（多様化）」です。この三条件がそろうだけでも、日本からＧＡＦＡＭやユニコーン企業が続々と生まれてきそうに思えます。

裏返せば、この三〇年あまり日本の足を引っ張ってきた原因は、高学歴、女性活躍、ダイバーシティが不十分だったということです。「こんなに働いているのに生活はちっとも豊かにならない」「頑張っているのに成功にはほど遠い」という状況は、三条件がそろわない原因が突き止められないことからくるのです。

女性活躍とダイバーシティは必要だと認識されながらも、なかなか実現しません。問題点はわかっている。しかし、効果的な解決策が見つからない。

実は、解決策は意外なところにあります。〝一点突破〟を可能にする具体策です。次章から詳しく解説していきましょう。

第二章　好きなことを学ぶ高学歴社会に

日本は「高学歴の国」ではない

まずは「高学歴」から見ていきましょう。僕は立命館アジア太平洋大学（ＡＰＵ）の学長ですから、教育問題はまさに自分の仕事でもあります。

僕たちの周りには「日本は世界のなかでは高学歴の人が多い国」と思っている人が少なくありません。たしかに二〇二一年度の大学進学率は五四・九％、短大を含めると五八・九％となっています（文部科学省「学校基本調査」）。大学に在学する女子学生の割合は四五％ほどです。

中学卒、高校卒の就職が珍しくなかった昔の時代に比べれば、現在は高学歴だといえます。平成になってからは高校、大学で海外留学する人、企業派遣により海外の大学院でＭＢＡ（経営学修士）を取得する人も増えました。

そのため、「欧米はともかく、アジアではダントツで高学歴だろう」というイメージがあるようです。ノーベル賞の科学分野で毎年のように受賞者が出るのを見ても「日本は高学歴」という印象があります。

残念ながら、この印象は誤りです。国際比較では、日本はけっして高学歴の国ではありません。

ただし、義務教育の子どもに限れば、学力が高いのはたしかです。ＯＥＣＤ（経済協力開発機構）加盟国で二〇〇〇年から三年ごとに調査してきた学習到達度調査（ＰＩＳＡ）を見てみましょう。各国の一五歳を対象に調査するものです。二〇二一年に実施予定だった調査は、新型コロナの影響で一年延期されました。最新の二〇一八年では、日本の子どもたちは、読解力が三七カ国（当時）中で一一位、数学的リテラシーが一位、科学的リテラシーが二位です。これだけ見れば、日本の学校教育はたしかに高水準です。

義務教育は、平たくいえば「読み・書き・そろばん」ですから、主に反復訓練で基礎学力を身につける段階です。ＰＩＳＡの結果からいえるのは「日本の義務教育はなかなか優秀」ということです。

問題は高等教育です。

中学を卒業して高校、大学と進むにつれてどんどん他国に負けていくのが日本の実情です。マラソンでいえば、せっかく先頭集団で走っていたのに、途中からズルズル後退していくようなもの。実にもったいない話です。

勉強や教育について語るとき、僕がよく例に挙げるのは「おいしいご飯」の話です。掛け算にたとえると、おいしいご飯は「新鮮でおいしい旬の材料をたくさん集めること」×「上手に調理すること」からできています。

勉強では、新鮮でおいしい材料は「知識」であり、上手に調理することは「思考力」です。勉強とは「知識×思考力」を鍛えることであり、教育はその効率的な手段を提供することです。

かつて「詰め込み教育」が批判されたのは、知識ばかりを重視して、思考力がお留守になっているためでした。しかし、知識の詰め込みは大切です。脳みその学習機能が高い二〇歳ぐらいまでに、できるだけ多くの知識を詰め込む。食材が多いほど、おいしい料理ができる可能性は高まります。義務教育の時期に「読み・書き・そろばん」を徹底的に鍛えるのは、間違いではありません。

問題は、料理の腕にあたる思考力を鍛えないことです。高等教育が担っている部分です。

日本の大学生が勉強しない「合理的な理由」

日本の大学進学率は向上したものの、OECD加盟国の平均は六二％を超えていますから、六〇％に満たない日本は平均以下の国に入ります。OECD加盟国三八カ国のなかで平均以下では「高学歴の国」といえないことがおわかりになるでしょう。

さらに問題となるのは修士号、博士号の取得者です。文科省の科学技術・学術政策研究所が公表しているデータでは、日本の修士号取得者は、二〇一八年度は人口一〇〇万人当たり五八八人となっています。他国の最新データでは、連合王国が四二一六人、ドイツが二六一〇人、アメリカが二五五〇人です。

博士号の取得者は、日本の二〇一八年度が人口一〇〇万人当たり一二〇人。連合王国が三七五人、ドイツが三三六人ですから三分の一程度です。二〇〇八年度と比較すると、日本は減少、フランスは横ばい、アメリカ、ドイツ、連合王国などは増加しています。

日本は他の先進国に比べ、学部から修士課程、博士課程へ進む人が少ないということです。

日本が高等教育で外国に負けてしまう理由は、実に単純です。社会がそこまで期待していないから。これに尽きます。

企業の経営者が集まれば、「優秀な人材が欲しい」と口をそろえて言います。しかしそれは外国の大学卒、大学院卒のように、「しっかり勉強して最先端の知識を身につけた人材が欲しい」という意味ではありません。日本企業が求める「優秀な人材」は、グローバル市場で通用する本当に優れた人材とは別ものなのです。

もちろん、ただ大学に入ればいいわけではありません。高等教育は「読み・書き・そろばん」とは違って、高度な専門知識を習得することが目的です。

日本の社会人で「大学時代が人生で一番勉強した」という人はどれぐらいいるでしょうか。入学すればこっちのものと、講義にはほとんど出席しないでアルバイトやサークル活動に精を出したと自慢げに話す人は少なくありません。

たとえば大学生の英語力は、入試時点がピークだという話があります。英語だけでなく、ほかの科目も同じだとすれば、大学の四年間はまったくムダです。二〇歳前後は学習機能が高く、いくらでもインプットできる時期なのに、四年間も脳みそを遊ばせてしまうのは大損失です。

大学生だけがわるいのではありません。大学生が怠け者だからではなく、日本全体がある時期から〝勉強しない構造〟になっているためです。

日本の〝勉強しない構造〟は太平洋戦争が終わった直後からはじまっています。

日本は戦争に敗れたあと、中国の共産化、朝鮮戦争などの運が重なり、V字回復のような戦後復興を果たしました。アメリカと同盟を結び、〝世界の工場〟と呼ばれるほど製造業が盛んになりました。

太平洋ベルト地帯など都心部の近くに工場をたくさん建て、働き手として、地方から中学校を卒業したばかりの男女を集めました。彼らは日本の将来を担う「金の卵」と呼ばれ、仕事が不足していた地方から大量に東京へ出てきました。東京一極集中のはじまりです。男女とも会社の寮に住み込み、男子は力仕事、女子は縫製などの手仕事を中心に工場で働きました。

一回目の東京五輪が開かれた一九六四年前後は、人口が飛び抜けて多かった団塊の世代が中学を卒業する時期でした。それでも、新規中卒者の求人倍率は約三倍。仕事は山ほどあるのに働き手が足りなかったのです。

当時の企業が求めた人材は、「素直で、我慢強く、協調性があって、上司の命令を忠実に実行できる従業員」でした。大きな工場はベルトコンベア方式の大量生産ですから、目の前に製品が流れてきたら、決められた作業手順で部品を取りつけたりボルトを締めたりする。正確かつ迅速であることが重要で、基本的にはマニュアル通り、指示通りです。

作業中に「このやり方は違うんじゃないの？」とか「こんな製品が売れるのかな？」とか余計なことを考えると、手元が狂ったり遅れたりします。あるいは、根気がなくてすぐに飽きるタイプも工場労働には向きません。

だから「素直で、我慢強く、協調性がある」が重視されたのです。頭脳のほうは、マニュアルが理解できて、作業が覚えられたら充分。これは当時の通商産業省が主導した国家的な政策でした。

求められる人材が変わった

高度成長期には、日本社会は完璧なまでに工業社会モデルに適応しました。毎日の長時間労働をいとわず、有給休暇も消化せず、長期休暇は避け、夫は家庭を顧《かえり》みずに働き、妻は家事と育児を担当し、単身赴任があり……と、職場も家庭も工業社会モデルに適応して同質化していきます。「素直で、我慢強く、協調性がある」という人材育成の方針は大成功したのです。

しかし日本の製造業も、その後は大きく変化します。七〇年代以降は工場の自動化や無人化が進み、現場で働く人の割合はどんどん減りました。製造業の会社でもホワイトカラーが増え、一九八五年のプラザ合意以降は、製造業からサービス産業への転換が意識されるようになります。産業のソフト化を予見した前川春雄・元日銀総裁の「前川レポート」や堺屋太一さんの『知価革命』が注目された時期です。

八〇年代後半から九〇年代初めにかけて、日本はバブル経済を経験し、世界を席巻するほどの経済大国になりました。この時期も日本経済を牽引していたのは自動車、電機といった製造業でした。

ところが、バブル経済の終わり頃に東西冷戦構造が終結して、世界が一つになるグローバル社会が誕生します。ほぼ同時期にデジタル革命が起こり、金融業界ではデリバティブなど金融工学を駆使した商品の開発が進みました。世界がダイナミックな変革を迎えたのです。

先進国では、九〇年代に産業構造が一変しました。日本経済がバブル崩壊で落ち込んでいた九〇年代、アメリカではＧＡＦＡＭが世界を席巻する土壌ができつつあったのです。

日本も九〇年代後半にインターネットバブルが起こり、ソフトバンク、楽天などのＩＴ企業が台頭して注目されました。しかしそれは、産業界全体から見ればごく一部です。二一世紀を迎えても、日本の産業界は相変わらず、戦後復興期に構築した〝工業社会モデル〟を維持してきました。つまり、他の先進国では〝求められる人材の質〟が大転換したのに、日本は戦後復興期、高度成長期の状態で置いていかれた格好です。

新しい産業が生まれる社会

日本企業の部課長クラスと話すと、「大学院を卒業した連中は使いづらい」という話が聞かれます。その上司たちが大学卒や高校卒であれば当然かもしれません。高度な専門知識をもつ部下に指示を出すには、上司はそれ以上に勉強しなくてはならないからです。

優秀な人材を採用しても、職場で活かせない。ひどい上司になると「大学院卒の鼻っ柱をへし折ってやらないと」と、わざとつまらない雑用ばかりやらせます。いわゆる〝雑巾がけ〟です。

優秀な新人は、そんな上司の下で働くのが馬鹿馬鹿しくなって辞めていきます。逆に、如才なく環境適応に努めたなら、周囲と同質化していくだけです。長時間労働でくたくたになるまで働き、家に帰れば奥さんに「めし」「ふろ」「ねる」の三つしかいわない〝日本の立派なサラリーパーソン〟のできあがりです。

そのような人材しかいないとしたら、日本企業でイノベーションが起こるはずはありません。イノベーションの原則は〝異質なものの組み合わせ〟です。同質化した組織では起こりにくいのです。

社会全体で見れば、イノベーションが起こらないと新しい産業は生まれてこない。GAFAMのように、世界を変えるほどインパクトがある新興企業の誕生は望めません。

GAFAMの創業者たちを見れば、いまの日本にどんな人材が不足し、どんな人材が必要とされているか、よくわかります。

グーグルは一九九八年、カリフォルニア州で設立されました。創業者のラリー・ペイジとセルゲイ・ブリンは、スタンフォード大学の博士課程でともに研究する仲間でした。ラリー・ペイジは、ミシガン大学で計算機工学を専攻し、スタンフォードの大学院で修士号を取得しています。セルゲイ・ブリンのほうは、メリーランド大学で数学と計算機科学を専攻し、米国科学財団から特待生に認められ、九五年にスタンフォード大学の大学院で修士号を取得しています。

彼らは九六年に大学院で研究プロジェクトをスタートし、グーグルの原点となる検索エンジンを開発しています。二〇〇〇年には検索キーワードから、関連する広告を表示するサービスを開始。高い技術力とビジネスセンスによって、現在の高収益モデルを確立していきます。

一九九八年の会社設立時は友人のガレージを拠点とし、最初の従業員も博士課程の仲間でした。いまやグループ全体で正社員一〇万人以上、非正社員一二万人以上のグローバル企業です。明らかに高学歴の産物です。

アマゾンの創業者ジェフ・ベゾスは、八六年にプリンストン大学で電気工学と計算機科学の学位を取得しました。卒業後は、金融決済システムを手がけるスタートアップ企業に就職し、貿易情報のネットワーク構築に従事します。その後、いくつかの職を経たあと、九四年にシアトルでオンライン書店「アマゾン」を起業しました。

フェイスブックの創業者マーク・ザッカーバーグは、高校時代に友人と音楽再生ソフトを開発してサービスを開始しました。ハーバード大学工学部に進学してからもソフトウェア開発をつづけ、在学中の二〇〇四年に「フェイスブック」を立ち上げました。それと同時に大学は休学して一年後に退学しています。

グーグルの二人はスタンフォード大学大学院、アマゾンのベゾスはプリンストン大学と名門大学を卒業しました。一方、マイクロソフトの創業者ビル・ゲイツとフェイスブックのザッカーバーグの二人はハーバード大学中退です。アメリカの大学は「入るのは易しく、出るのは難しい」といわれます。学業成績が悪いと卒業できないのですから、学生たちは必死に勉強する。日本のように、たとえ一流大学出身でも、入学時が学力のピークというわけにはいきません。ビル・ゲイツとザッカーバーグのように、在学中に高い成果を出してビジネスの世界にデビューする人もいます。

ＧＡＦＡＭをつくった凄い〝変態〟たち

ＧＡＦＡＭの創業者で変わり種といえば、アップルの創業者スティーブ・ジョブズでしょう。彼は、高校時代にアップルの共同創業者となるスティーブ・ウォズニアックと出会いました。このウォズニアックは技術系が得意で、無料で長距離電話をかけられる装置を彼が開発し、ジョブズが売ってまわったという話が残っています。

ジョブズはオレゴン州のリード大学へ進学したものの半年ほどで中退しました。しかし中退後もキャンパスに出かけ、カリグラフィー（文字を美しく見せる手法）や哲学などの講義を聴き、結局は二年ほどリード大学で過ごしました。授業料を払わないで勉強していたわけです。

その後は、ビデオゲーム会社のアタリで働いたり、インド放浪の旅に出たりとフラフラし、ウォズニアック、ロナルド・ウェインの二人と共同で一九七六年に「アップルコンピュータ社」を創業します。一九七七年に発売した個人向けのコンピュータ「アップルⅡ」が大ヒットし、パーソナル・コンピュータという新分野の製品を世界中に広めました。その後、ジョブズは先進的なＧＵＩ（グラフィカル・ユーザー・インターフェイス）やマウスなどを取り入れ、「マッキントッシュ」ブランドを確立します。「アイフォーン（iPhone）」も含め、ジョブズは世界を席巻する画期的なパーソナル・デバイスをいくつも開発しています。

このようにＧＡＦＡＭの創業者たちを見ると、大学、大学院で過ごす時間は重要だと改めて感じます。ただし、僕が大切だと思う「高学歴」は、単に入学試験の偏差値が高い大学を卒業する、という意味ではありません。名門大学の出身者で、使いものにならない人材は掃いて捨てるほどいます。

日本の問題は〝尖った人材〟がいないことです。

僕はＧＡＦＡＭの創業者たちを、尊敬をこめて〝変態〟と呼んでいます。人とは変わった価値基準を持ち、独自の〝変態スタイル〟で生きている人たちです。

世界中のさまざまな組織や仕事の現場を見ていくと、桁外《けたはず》れの成果を出している人の多くは〝変態〟です。〝変態〟がイノベーションを起こし、これまでにない製品やサービスを通じて社会を変革していくのです。

〝変態〟たちの共通点は、自分が「これはいい」と思った製品、サービスにのめり込むことです。つまり、オタク的な発想、オタク的なこだわりです。グーグルの検索サイトも、アマゾンのネット通販も、フェイスブックのＳＮＳも、アップルのアイフォーンも、マイクロソフトのウィンドウズも、オタクたちが生みだして、僕たちの生活や仕事を昔とは違うものにしました。

なかでもスティーブ・ジョブズは、筋金入りの〝大変態〟です。いまや伝説的な経営者として語られる彼は、学生時代にいくつもの宗教に凝り、座禅を組み、ヒッピー文化に憧れました。裸足で歩きまわり、風呂に入らなかったという話も伝わっています。

　ゲーム会社のアタリで働いていた頃も、不潔だからと周囲の人たちに疎《うと》んじられていたそうです。憧れのインドへ出かけて赤痢《せきり》にかかってすぐ帰国したこともあります。もし身近にこんな友人がいたら、見ていて飽きないでしょう。

　アップルが成長企業となってからも、独断専行が目立ち、あまりに好き勝手に振る舞うので八五年に役員会で仕事を取りあげられて、自分から会社を飛び出しています。自分が創業した会社を追い出されたようなものです。アップルには九六年に戻り、ＣＥＯに就任したのは二〇〇〇年のことです。そこからアイポッド、アイフォーンなどデジタル・デバイスの分野を拡大し、コンテンツ配信など新領域に事業を広げました。

　彼が〇五年にスタンフォード大学の卒業式で語ったスピーチはユーチューブで観ることができます。有名な「ハングリーであれ、馬鹿であれ」という結びの一節は、僕流に翻訳すれば「〝変態〟であれ」ということです。

　ジョブズが工場の製造ラインで一日中、同じ作業を繰り返す姿は想像できません。すぐに何かとんでもないことをしでかして放り出されるでしょう。

　日本の経営者や教育者は、ジョブズのような正真正銘の〝変態〟が新しい産業を生むという事実にいい加減、気づかないといけません。素直によく勉強し、我慢強くて協調性があれば、偏差値が高い大学を卒業できるでしょう。しかしそれは優れた〝変態〟ではありません。そこから世の中を変えるような画期的なアイディアは出てこないのです。

異分野を学ぶことからイノベーションは始まる

日本に求められるのはイノベーションを起こす人材、つまりは〝変態〟やオタクです。こんな話を聞いたことはないでしょうか。

「日本人は外国で発明されたものを輸入して改良していくのは実にうまい。一を一〇〇まで高めるのが得意だから、ものづくり大国になった。ところが、まったく新しいものを発想することは苦手。不思議なくらい、ゼロからイチができない」

いま求められているのは〝ゼロからイチ〟の人材ということです。

イノベーションを生みだす〝変態〟は、特別な環境で育つわけではありません。原理はきわめて単純です。複数の異質な分野で、とことん自分の興味を追求することです。

アメリカの有名な政治家や実業家で、肩書に二つ以上の博士号がある人を見かけることがあります。それも物理学と歴史学、金融工学と教育学など、日本の感覚では「どういう頭の構造してるんやろ？」と驚くような異分野の組み合わせです。アメリカでは、そのように異分野の学問を習得する人が珍しくありません。

日本人のお医者さんから、おもしろい話を聞いたことがあります。そのお医者さんはハーバード大学の大学院で医学の修士号を取得し、同時期に近くの音楽大学の大学院で指揮の修士号を取得したというのです。

彼も日本人ですから、留学前は二年ほど遊んでくるつもりだったそうです。ところが、ハーバードの大学院に入ってみると、クラスメイトの多くが他大学の修士課程でも学んでいました。それどころか、「君はせっかく留学しているのに、貴重な二年間をムダに過ごすのか」とクラスメイトに呆れられたそうです。

肩身が狭くなった彼は、あわててボストン近郊で通える別の大学院を探しました。その時期に入れるのは、音楽大学の指揮者コースぐらいだったそうです。もともと音楽には興味があったので、指揮専攻の修士課程に入ったというわけです。

別の留学経験者からも、よく似た話を聞いたことがあります。同時に二つ以上の専門分野を勉強するのは、アメリカでは珍しいことではないのです。

二つ以上の専門分野を学ぶことは、イノベーションと無関係ではないと僕は考えています。

ビジネスの世界でイノベーションといえば、経済学者のヨーゼフ・シュンペーターが有名です。彼は著書『経済発展の理論』（一九一二年）で、企業の絶え間ないイノベーションが経済を動かすという理論を述べました。同書ではイノベーションのことを〝新結合〟と呼び、異質なものどうしの新しい組み合わせがイノベーションを起こすことが説明されています。一見、関係なさそうな複数のものを結びつける発想がイノベーションだというわけです。

シュンペーターの理論を考えると、物理学と歴史学、金融工学と教育学などの組み合わせは、まさに新結合の発想が得られそうです。

日本でイノベーション人材となる〝変態〟を育てるなら、修士課程、博士課程に進む学生を増やすとともに、異分野の学問を同時に修めることを推奨すべきでしょう。肩書に二つの修士号、博士号があるダブルマスター、ダブルドクターをめざすということです。

そもそも学問分野を理系と文系に分けて、高校時代に選択させるというのは無意味です。アメリカなどでは理系、文系の区別がないから、異質な組み合わせが生まれやすいのでしょう。

採用基準に問題あり

日本が「高学歴社会」になるためには、「もっと勉強せい」と学生にハッパをかけたり、親に働きかけたりしてもほとんど効果はありません。企業がいまだに工業社会モデルの人材を欲しがり、文科省や高校、大学が企業に合わせているからです。半世紀も前から変わらない古い人材観を改め、採用方法を変更するしか効き目はないでしょう。

現在の採用方法では、偏差値がそこそこ高い指定校の出身者が最も有利とされています。「指定校求人制度」とは、企業が求人先の大学をいくつか決め、特別な理由がないかぎり、おおむね指定校から新卒者を採用するしくみです。表向きは「大学名にこだわらずオープンに採用しています」と公表しながら、指定校以外の大学は基本的に採用活動の対象外という企業もあります。

最近は指定校制が減ってきたとはいえ、社内を見渡せば、同じ大学の出身者がうようよいる企業は少なくありません。採用担当者は、まずエントリーしてくる学生の所属大学をチェックし、成績表などはほとんど見ない。あとは採用面接で「素直で、我慢強くて、協調性があるか」を確認するだけです。「わが社のカラーに合うか」という同質化の判断基準です。

採用面接で、大学で何を専攻しているか、どんなテーマで研究してきたかを詳しく説明した人は少ないでしょう。専門性の高い研究テーマを話されても、面接官がわかるはずはありません。面接官自身がそもそも学生時代に勉強していないから、真面目な研究に興味がないのです。クラブ活動、ボランティア、アルバイトなどの話題なら誰でもわかります。学生が要領よく説明すれば、「コミュニケーション能力が高い」と評価して終わりです。

人材採用の本筋から外れた面接は、学生の意識も変えます。キャンパスには試験期間に顔を出す程度で、アルバイトやボランティア活動に精を出す。なかには、エントリーシートで目を引くボランティア活動、面接でウケるアルバイトを探す学生も出てきます。本末転倒です。

経営者と人事担当者は「最近はいい人材がこない」と嘆く前に、「採用基準がおかしいから学生が愚かになった」と責任を感じなくてはいけません。

企業が変われば学生も変わる

外国企業は、たとえハーバード大の学生でも、成績が平均より低ければ採用では歯牙《しが》にもかけない、という話を聞いたことがあります。

ハーバード大に入学できたのなら地頭《じあたま》は人並み以上でしょう。日本企業なら、その一点で採用しそうです。ところが外国企業は、成績が平均より低いということは、大学四年間をテキトーに過ごして、試験だけは要領よくこなしたのだろうと判断します。そんな学生を採用しても、仕事をテキトーにこなし、上司にゴマをすって要領よく立ちまわる社員になるだけ。クリエイティブな仕事ができない、と過去のデータが物語っているから御免こうむる、というわけです。

偏差値が高い大学をビリで卒業するより、大学のランクはそこそこでも首席卒業のほうがはるかに価値がある、というのが本来の採用基準でしょう。外国企業では、大学のランクを問わず、成績表に優が七～八割ある学生は引っ張りだこです。

そもそも外国の学生は、偏差値で大学を選ぶのでなく、何を研究したいか、どの教授に師事したいかで志望校を決めます。自分が選んだ大学で優れたパフォーマンスを発揮する学生は、自分が選んだ職業でも優れたパフォーマンスを発揮する蓋然性《がいぜんせい》が高い。学校の成績は、学力の指標ではなく、好きなことに打ち込む意欲、パフォーマンスの発揮、集中の持続力などを測るための目安です。

そう考えれば、日本の学生を勉強させる方法は簡単です。企業が採用基準を改め、公表するということです。

たとえば、経団連会長が「来年からわれわれの企業では、採用基準を変更します。大学のランクを問わず、成績を重視する。成績表で優が七割に達していない学生は、採用活動の対象としません」と公表する。これだけでも、学生は目の色を変えるはずです。アルバイトやボランティアに精を出している場合じゃない、優をもらうために勉強しなくてはあかん、と考えるでしょう。

修士課程、博士課程への進学も同様です。専門性が高い人材が活躍する環境を整え、〝変態〟の優れたアイディアを見逃さないようにする。〝変態〟のアイディアで会社がうんと儲けたら、パフォーマンスに見合うだけの給与を支払う。

経団連会長がそう発表すれば、日本の大学院進学率はすぐさま高まるはずです。

英語力についても、同様に「われわれの企業では、ＴＯＥＦＬなど英語の成績を重視し、採用の筆記試験、面接試験は英語で受験すると加点されます」と公表したら、学生は大学四年間も必死に英語を勉強します。

日本が高学歴社会になるための一点突破は、企業の採用基準を変更することです。

もちろん、経団連会長がそう宣言するのは、学生を勉強させることが最終目的ではありません。社内にイノベーションを起こし、ＧＡＦＡＭに匹敵する新しい製品やサービスを発案する人材を育てるためです。

そのためには採用だけでなく、働き方も改めなくてはいけません。それについては第四章で詳しく述べることにします。

「その校則、説明してください」

イノベーションを起こす〝変態〟を育てるには、学校制度や教育のあり方も見直さなければいけません。

ＧＡＦＡＭの創業者たちを見てわかるように、〝変態〟たちは自分が好きなこと、興味があることに集中します。勉強するというより、趣味に没頭する感覚に近いでしょう。別の言い方をすれば、自分が「なぜだ？」と疑問に思ったことについて、徹底的に考え抜いて探求していく姿勢です。

ある県で高校の校長が一二〇人ほど集まる会合に呼ばれて講演したことがあります。「二一世紀の日本に必要な教育」がテーマでした。

僕は「学習指導要領では〝探究力〟が鍵です。ＯＥＣＤも日本の文科省も、探究力の養成を重視しています」と話しました。すると、校長の一人から「私たち大人に探究力がないと、生徒たちを指導できませんね。探究力を養うにはどうしたらいいのでしょうか」と質問を受けたので、僕は「たとえば、校則について考えてみることです」と答えました。

ある高校の校則では、男子の制服は白のワイシャツにズボン、女子は白のブラウスにスカートと決まっています。しかし冬の寒い時期は、女子もズボンをはきたいかもしれません。寒さと関係なく、ファッションとしてスカートよりズボンのほうが好きだという女子もいるでしょう。男子のほうも、スコットランドの男性のようにスカートをはきたいと思う人がいるかもしれません。なぜ、男子はズボン、女子はスカートなのか。どちらか好きなほうでいい、と選択制になっていないのか。

その疑問がわいたら、調べることがいくつも出てきます。「制服の規則はいつからあるのか」「他校ではどうしているのか」からはじまり、「男子はズボン、女子はスカートという文化はいつ生まれたのか」「海外の学校では制服についてどんなルールがあるのか」など、知りたいことがどんどん増えていきます。

　そういう疑問をもたずに「男子はズボン、女子はスカートと昔から決まっとる」で片づけてしまえば、生徒たちが納得するはずはありません。合理的でない規則、説得力がない規則は守らなくて当然でしょう。

　ＡＰＵのカフェテリアで学生たちとランチを食べていたら、そのなかに長い髪を頭の上にまとめている女子学生がいました。ちょっと珍しい髪型だったので、「その髪型はかわいいやんか」と声をかけると、彼女は「そうでしょう？　でも、高校時代にこの髪型で学校と揉めたことがあるんです」と話しはじめました。

　高校の先生から「髪は頭の後ろでまとめるように」と注意され、彼女が「髪をまとめるのはいいですけど、頭の後ろは嫌なので、上でまとめたい」と主張したら、よけいに叱られたというのです。「髪は後ろでまとめるに決まってるじゃないか、そんな社会常識も知らないのか」というわけです。

しかし彼女は、髪を後ろでまとめるのが常識で、上でまとめるのが非常識という話を聞いたことがなかったので、「そんな常識は聞いたことがありません」と答えたら、「議論なんかしなくていいから早く直せ。君は常識がないな」といわれたそうです。

つまりその教師は、髪を後ろでまとめるのはよくて、上でまとめるのはわるいことの意味を説明できなかったのです。おそらく「髪を上でまとめるのはわるいことか？」と疑問に思うことさえなかったのでしょう。

非論理がパワハラを生む

何でも「常識だ」で片づける教師が、生徒に「探究力を鍛えなさい」といっても説得力がありません。僕が高校の校長だったら、そんな教師は「あなたのほうが間違っている」と指導し、徹底的に議論します。それでもなお「常識だ」で通そうとしたらクビにするしかありません。生徒にとって大切な時期に、誤った情報や誤った考え方を押しつけることになるからです。

社会常識というものは、議論を通して形成されていくものです。その議論を拒否する教師の指導に、生徒が納得するはずはありません。議論に堪えられない理屈のほうが非常識だからです。パワーハラスメントとは、その議論を通さないで、ある行為を強要することにほかなりません。

たとえば、運動会や体育祭でおこなわれる組体操も、僕にとっては非常識の一つです。人間ピラミッドに象徴される組体操は、一〇年前には年間八〇〇〇件を超える事故が発生していました。これは危険だと事故防止策を講じて、現在は半分の四〇〇〇件前後になっています。

しかし四〇〇〇件も事故が起きて、怪我人が出ているのに組体操をつづける必要があるでしょうか。組体操をつづけたい人たちは「運動会の伝統だから」「チームワークが養成されるから」「慎重にやれば大怪我はしない」といくつも理由を並べます。

しかし生徒たちが、怪我を覚悟したうえで組体操をやりたがっているとはとうてい思えません。チームワークを養う競技はほかにいくらでもある。対策を講じてもなお怪我人が出れば、即廃止が当然だと僕は考えます。生徒たちに、怪我の可能性がある組体操を強要する姿勢は、明らかにパワハラです。

学校には校則を代表として、ロジカルな説明がない規則や制度がたくさんあります。髪の毛の長さや下着の色が、勉強にどう関係するのかをロジカルに説明できないのに、生徒に「探究力をつけなさい」といって信用されるはずがないでしょう。

別の集まりで、中学の教員から「最近の生徒は本を読まないので困っています。どうすれば読書が好きになるでしょうか？」と質問されたことがあります。僕が「先生はこの一年間で何冊の本を読まれましたか？」と尋ねると、「あまり読んでいません」とうつむいてしまいました。教師がたくさん本を読んで、読書の楽しさを語って聞かせなければ、「読書しましょう」という指導が生徒の耳に入るはずはありません。教師だけでなく、親も同じです。

「なぜ？」を三回繰り返す

探究力を養う方法は、実はいたって簡単です。疑問に思ったことについて、「なぜ？」を三回繰り返す。「なぜ？　なぜ？　なぜ？」を習慣にすればいいのです。

制服の例でいえば、「なぜ、男子はズボン、女子はスカートが校則なのか」「なぜ、男性と女性で服装に違いがあるのか」「なぜ、人間は服を着るのか」と三回ぐらい繰り返すと、問題の本質にたどりつけます。出てきた答えがまだ本質でないと思えば、さらに「なぜ？」を繰り返せばいいのです。小さな子どもは「なんで？　ねぇ、なんで？」と繰り返して大人を困らせますね。あれです。

僕も幼稚園の頃、親に「なんで月は空から落ちてこないの？」と尋ねました。親は説明するのが面倒くさいと思ったのか、子ども向けの科学を解説する本を買ってきてくれました。その本には「石に紐をつけてぐるぐるまわしてごらん。落ちてこないでしょう。〝遠心力〟が働いているからです。だから、月は落ちてこないのです」と説明されていました。幼稚園児ですから、遠心力の概念は理解できなかったものの、石に紐をつけてまわすと上からすとんと落ちてこないことはわかるので、この説明は直感的に正しいと思いました。

自分が疑問に思ったことに、ちゃんと答えがあって、論理的に説明されたことがとてもおもしろくて記憶に残ったのだと思います。ロジカルな説明が腹落ちするのは、幼稚園児も大人も同じです。

ところが、たいていの人はまったく疑問に思わないか、「なぜ？」と自問してもせいぜい一回です。ちょこちょこっと調べて、見つかったことが答えだと思いこんでしまう。だから、問題の本質にたどりつけないのです。

「なぜ？」と思ったら徹底的に調べる。出てきた答えに「なぜ？」と考えて、また調べる。問いの答えがまた問いになる。さらに「なぜ？」と疑問をもってまた調べる。三回だけでも、その問題について知識の範囲はかなり広がります。難しくないので、子どもたちにもぜひ身につけてほしいものです。

今後の教育について「AI時代を迎えるから、小学校からプログラミングを学ばせよう」という意見が聞かれます。しかし小学校で学んだプログラミングは、卒業する頃には陳腐化します。大学生になる頃には、ITのしくみが根底から違うかもしれません。すぐに使える知識、実務に即した知識ほど、時代の変化によって陳腐化し、役に立たなくなります。ロジカルな思考、徹底的に調べる癖を身につけるほうがよほど大事です。どれだけ時代が変化しても「知識×思考力」の組み合わせが、人間社会から不要になることはありません。幼いうちに習得するほど、社会に出るまでに差がつくのです。

好きなことにのめり込む子には可能性がある

僕がいう〝変態〟は、好きなことに没頭できるタイプ、いわばオタクです。オタクは他人が着眼しない点に気づき、深く考え抜いてイノベーションを起こす可能性があります。好きなことに没頭し、結果として社会に大きく貢献し、おカネを稼いで食べていけたら幸せなことです。

知り合いのシングルマザーから、高校一年の娘さんについて相談を受けました。娘さんは学校から帰ると、すぐ自分の部屋に引きこもり、出てこないそうです。部屋で何をしているかといえば、戦艦のプラモデルを作っている。

お母さんは「そんな馬鹿なことしてないで、勉強しなさい」と叱り、娘さんは「勉強なんかしたくない」といつも喧嘩になるそうです。一人しかいない子どもがそんな調子だから困ってる、どうしたらいいのか、と相談されました。

僕は「お嬢さんはなかなか見どころがありますよ。僕も昔、模型に凝ったことがあって非常におもしろかった。いまはネットオークションで完成品が高く売れるし、ずいぶん儲けている人もいるそうです。勉強しろなんて言わずに、『プラモデルで稼いだおカネでお母さんに服でも買って』と一緒に楽しんだらどうですか。まずは『すごい戦艦ね』と褒めてあげてください」とアドバイスしました。

娘さんが一生、戦艦のプラモデルを作りつづけるとは限りません。誰でも何かに凝って没頭し、やがて飽きてしまった経験はあるものです。娘さんは毎日ちゃんと学校に通っているのだから問題ありません。お母さんに「何が心配なんですか？」と尋ねたぐらいです。

　戦艦の出来栄えが本当に素晴らしく、プラモデルづくりが職業になることもあります。作品に市場価値がある、ということです。そこまでのレベルに達しなくても、一生懸命やり込んで「ああ、プロになるのは無理だったか」と諦めるのも無意味ではありません。自分の限界を知り、一つ賢くなったからです。「努力したからといって必ず成功するわけでもない」と悟れば、将来、馬鹿な上司に「頑張れば何とかなる！」とハッパをかけられても聞き流せます。彼女自身が上司や親になったとき、同様の馬鹿なことは言わないでしょう。挫折を通して一つ賢くなるだけでも、彼女の未来は明るいと僕には思えます。

教育投資で「負の連鎖」を断ち切る

　文科省の文教関係予算は、四兆円あまりで二〇年前とほとんど変わっていません。その間にＩＴは格段に発達していながら、教育に対する財政支出の額が同じというのはおかしな話です。しかも対ＧＤＰ比は、ＯＥＣＤ加盟国のなかでは常に最下位かブービーです。

国の教育制度で注目されたのが、「スーパーグローバルハイスクール（ＳＧＨ）」と「スーパーサイエンスハイスクール（ＳＳＨ）」です。ＳＧＨはグローバルリーダーを育成する高校、ＳＳＨは科学技術系人材を育成する高校のことで、希望する全国の高校が応募して、文科省が審査のうえ指定して補助金を出しています。この制度で選ばれるのは、ほとんど各地域でも偏差値が高い学校です。

教育社会学者の松岡亮二さんは、著書『教育格差』のなかで、このように優秀な学校を支援するのは本当に正しい制度なのか、と疑問を呈しています。僕もまったく同感です。

極端な例でいえば、受験難関校で知られる開成高校や灘《なだ》高校の生徒たちは、勉強のやり方が身についているので、放っておいてもどんどん学力が向上します。教師は苦労して勉強させる必要はない。放っておいても生徒が勝手に勉強する学校に補助金を出しても、投資に見合った成果が期待できない、ということです。

補助金を出すとしたら、学力が低い学校のほうです。学力を底上げし、社会に出て働くのに苦労しない人たちを育てるほうが、社会にとっては有益です。仕事に就ける人が増えて、生活保護の受給者が減れば、トータルのコストは安いかもしれません。勉強しない手のかかる生徒を指導する先生は、給料を二倍にしてもいいでしょう。

高度成長の時代は、学歴による収入格差はそれほどありませんでした。現在のほうが教育格差は大きく、その結果として収入格差も広がっています。学歴が低い親は、子どもの教育投資に熱心でなく、子どもも学歴が低く収入が低いという「負の連鎖」が顕著になっているのです。この連鎖を断ち切り、全体を底上げして、中間層を大きくする。現在の教育行政では、そこが最重要ポイントです。

ＳＧＨ、ＳＳＨに通う生徒たちは、おそらく裕福な家庭の子ですから、親の個人的な教育投資で勉強すればいいということです。この制度は「日本にもエリートをつくろう」という思いつきからはじまり、よく分析しないで進めたのではないかと疑っています。

低学力校の生徒たちも、自分が好きなことに没頭し、それで食べていけるように知識を増やし、思考を磨く。その原理原則は変わらないということです。

第三章　人口減少を止めなければ国力は戻らない

高度成長の原動力は人口増加だった

戦後復興を果たした日本が、西ドイツ（当時）を抜いて世界第二位の経済大国になったのは一九六八年のことです。

戦後の日本が高度成長を迎えることができた理由はいくつもあります。中国が共産化したこと、朝鮮戦争が起きたこと、東西冷戦構造がつづいたことなど、国際情勢の影響は絶大でした。一方、国内の状況で忘れてならないのが人口増加です。人口増加がなければ、敗戦で焼け野原になった日本が、二三年で世界第二位の経済大国になるのは難しかったでしょう。

日本の人口は、終戦直後は七二一五万人でした。それがGDP世界第二位となる前年の六七年には一億人を突破しています。

GDPと関係が深い生産年齢人口（一五～六四歳）を見ると、一九五〇年は五〇一七万人だったのが、一九九五年には八七一六万人と一・七倍になっています。高度成長期、バブル期を通して、生産年齢人口はずっと増えつづけました。

日本が〝世界の工場〟と呼ばれた頃は、製造業を中心に仕事が増えつづけました。景気の波はあったものの、実質ＧＤＰは平均すると年に七％ほど成長したのです。

つまり、企業は年平均七％のペースで仕事が増えつづけたということです。仕事が増えれば、新しく工場を建て、従業員を雇わなくてはいけません。年平均七％の成長は、人口増加があったからできたことです。

現在、生産年齢人口は七五〇〇万人以下まで減っています。総人口に占める割合は、戦争で働き手を失った一九五〇年頃とほぼ同じ六〇％前後です。

日本の総人口は、二〇〇八年に一億二八〇八万人でピークを迎えました。二〇〇八年まで人口が増えつづけたのは、赤ちゃんが生まれたからではありません。高齢者の寿命が延びて、死ぬ人が少なかったことが理由です。生まれてくる赤ちゃんは減っていたのに、その減少を上まわって高齢者が長生きしたということです。

一九八九年（平成元）は、女性の平均寿命が八一・七七歳、男性が七五・九一歳でした。この三〇年あまりで男女とも寿命が五歳以上延びています。昭和の頃は「人生七〇年」といわれたのが、いまや「人生一〇〇年」の時代です。

高齢化が人口減少を覆い隠していた

高齢者の寿命が延びつづけた裏で、生まれてくる赤ちゃんの数は減っていきました。日本の少子化が、最初にマスコミで話題になったのは一九九〇年です。前年の合計特殊出生率（女性が一生で産む子どもの数）が戦後最低の一・五七になったという「一・五七ショック」です。

生まれてくる赤ちゃんが減る一方で、高齢者の寿命は延びつづける。その結果、日本の人口減少は二〇年ほど強く意識されませんでした。

長寿はいいことです。健康寿命が延びれば、さらにいいでしょう。秦の始皇帝も一生かかって不老長寿を追い求めましたから、一〇〇歳以上が八万人を超える現代の日本は幸せな国です。

問題は、赤ちゃんが生まれないことです。

日本の合計特殊出生率は、一九七〇年代前半まで二・〇前後で推移していました。一組の夫婦に子ども二人なら、おおむね人口は維持されます。ところが、七五年に二・〇を割り込み、三〇年後の二〇〇五年には一・二六まで下がりました。

現在は一・三前後まで回復していますが、同じ先進国のアメリカ、フランス、連合王国などに比べれば、まだまだ低い水準です。

国立社会保障・人口問題研究所の予測（出生中位／死亡中位仮定）では、二〇六〇年に日本の人口は九二八四万人になるそうです。これからの三八年弱で、現在のおよそ一億二五〇〇万人から二六％ほど減少する計算です。生産年齢人口のほうは、現在の七五〇〇万人から四八〇〇万人へと、三六％ほど減ると推計されています。この予測が的中すれば、世界における日本のＧＤＰシェアは、回復するどころか激減しそうです。

高度成長期に輸出大国だった日本は、いまではアメリカに次ぐ内需大国です。人口減少で国内マーケットが縮小すれば、五四〇兆円のＧＤＰを維持するのは困難です。ＧＤＰが大幅に減れば、法人税、所得税などの税収が減り、日本は「かつての経済大国」と呼ばれるようになります。

世界の歴史を紐解いても、人口が減少して発展した国はありません。それぐらい人口減少は、日本の未来を暗くする。少子化対策は待ったなしの状況です。

人口が減っても満員電車がますます混む理由

待ったなしの状況でも、まったく危機意識がない人たちもいます。

「日本は国土が狭いから、人口は半分ぐらいがちょうどいい」

「戦後の人口増加がそもそも異常だった」

「都会では朝夕の満員電車が解消されて、いまより住みやすくなる」

僕にいわせると、これらの意見はすべて誤りです。

日本の人口が、仮に半分の六〇〇〇万人になったとしましょう。それだけでは、首都圏の満員電車が解消されることはありません。逆に、いまよりギューギュー詰めになる恐れもあるくらいです。東京一極集中がさらに進むからです。

地域別に見ると、人口減少はまず地方で急速に進みます。首都圏の経済は人口が少し減ったくらいではビクともしませんが、ただでさえ疲弊している地方都市は、人口が減れば減るほど、経済がまわらなくなります。地元に仕事がないから、若者はみんな東京に出て働こうとします。東京一極集中はいまより激しくなるのです。

東京都の合計特殊出生率は、一・一前後と国内では最低レベルです。赤ちゃんが生まれない東京に、若者たちが全国から集まってくる。東京一極集中が進むほど、日本の総人口は加速度的に減っていくのです。

赤ちゃんは地方で生まれ、成長したら大学進学や就職で東京に出てくる。東京に出てきたら、結婚しないか、結婚しても子どもをもうけない。地方の若者たちが、東京にどんどん吸い込まれては消えていく〝ブラックホール現象〟です。

働き手が出ていく地方都市はさびれる一方で、限界集落と呼ばれるところは無人化します。僕が生まれ育った三重県の美杉村（現・津市美杉町）などは、おそらくシカやイノシシが走りまわるでしょう。

新型コロナによって世界各地の都市がロックダウンされた時期、人間の姿が消えた町に野生動物が出没する映像をよく観ました。我がもの顔で歩きまわるシカたちの映像を観るたびに「ああ、日本の人口減少が進めば、僕のふるさともこうなるのか……」と想像したものです。人口減少を早く食い止めないと、地方の町や村がシカ、イノシシ、サルの天下になってしまうのです。

地方の人口が減る一方、東京ではどんどんコンパクトシティ化が進みます。都市機能が高密度にまとまり、徒歩と公共交通機関だけで生活に困らないのがコンパクトシティです。東京だけでなく、神奈川、埼玉、千葉を含めた首都圏がコンパクトシティ化していくでしょう。そうなれば、朝夕の通勤電車はますます混み合います。

日本の人口が減るだけでは、「朝夕の電車が空いて住みやすくなる」ということはありません。満員電車は、テレワークを増やすなど別の方法で解消すべき問題です。

「一人当たりGDPが維持できればいい」は誤り

「将来の食糧難を考えると、日本も世界も人口は増えないほうがいい。食べものの奪い合いになるから」と人口減少を肯定する人たちがいます。この考えも誤りです。

国連は、世界の人口支持力について研究しています。人口支持力とは、ある地域に居住する人びとを扶養できる力のことをいいます。ほかの地域との交流が一切ない地域は、「食料生産量」や「獲得経済による収穫」の食糧供給量で人口支持力が決まります。

国連の研究では、現在の地球は一二〇億から一三〇億人がだいたい人口支持力の限界だそうです。現在は八〇億人弱ですからまだ余裕がありますし、石油の話と一緒で、技術が進めば人口支持力は増えていきます。「人口が増えたら大変だ」と騒ぐ人たちは、おそらく人口支持力の研究を知らないのでしょう。

　赤ちゃんが生まれる以外に、地方の人口を増やす方法がないわけではありません。たとえば、僕が学長を務めるＡＰＵは、学生のおよそ半分が海外からの留学生です。日本人の学生は、三分の二が東京、大阪を中心に九州の外から学びにきています。

　地方都市でも、若者を地元にとどめたり、よそから若者を集めたりする方法はあるでしょう。新型コロナが流行する前は、全国の町で外国人観光客の姿が見られました。インバウンドも地方経済を活性化させる方法の一つです。

　しかし地方が経済的に自立するためには、やはり人口増加が最も効果的です。赤ちゃんが生まれない社会は栄えない、という歴史の事実をもっと知ってほしいと思います。出生率は他の先進国、たとえばフランス並みに一・八ぐらいまで引き上げたいところです。

　人口減少が進めば、日本経済はどんどん縮小すると説明したら、「でも、日本の一人当たりＧＤＰは多いのだから、人口が減っても一人当たりＧＤＰを維持すればハッピーに暮らせるでしょ」と反論する人がいます。この意見も、どこから突っ込んでいいかわからないほど誤りです。

まず、日本の一人当たりＧＤＰが世界二位だったのは二〇年以上前のことです。二〇二一年はＩＭＦ（国際通貨基金）調べで二八位。先進国のなかではビリのほうです。

たとえ一人当たりＧＤＰが高くても、人口が半分になれば、当然ＧＤＰも半減します。税収が減ったら、これまでのように科学技術や教育、福祉その他に投資できません。第二のＧＡＦＡＭやユニコーン企業がますます生まれにくい環境になります。日本人が毎年のように科学分野のノーベル賞を受賞することもなくなる。ＩＴ、医療その他で、外国にどんどん差をつけられます。投資額を減らさずに現在の予算を維持するためには、税金を二倍にするほかないでしょう。

労働人口と経済成長率のダブル縮小が続く

人口が減って栄えた国はない、という歴史の教訓は、経済学的に説明するとこうなります。

国の経済成長は「労働人口×生産性」に大きく影響されます。労働人口が大幅に減少し、生産性がそのままなら、経済成長率はもちろん低下します。現在の成長率を維持するには、

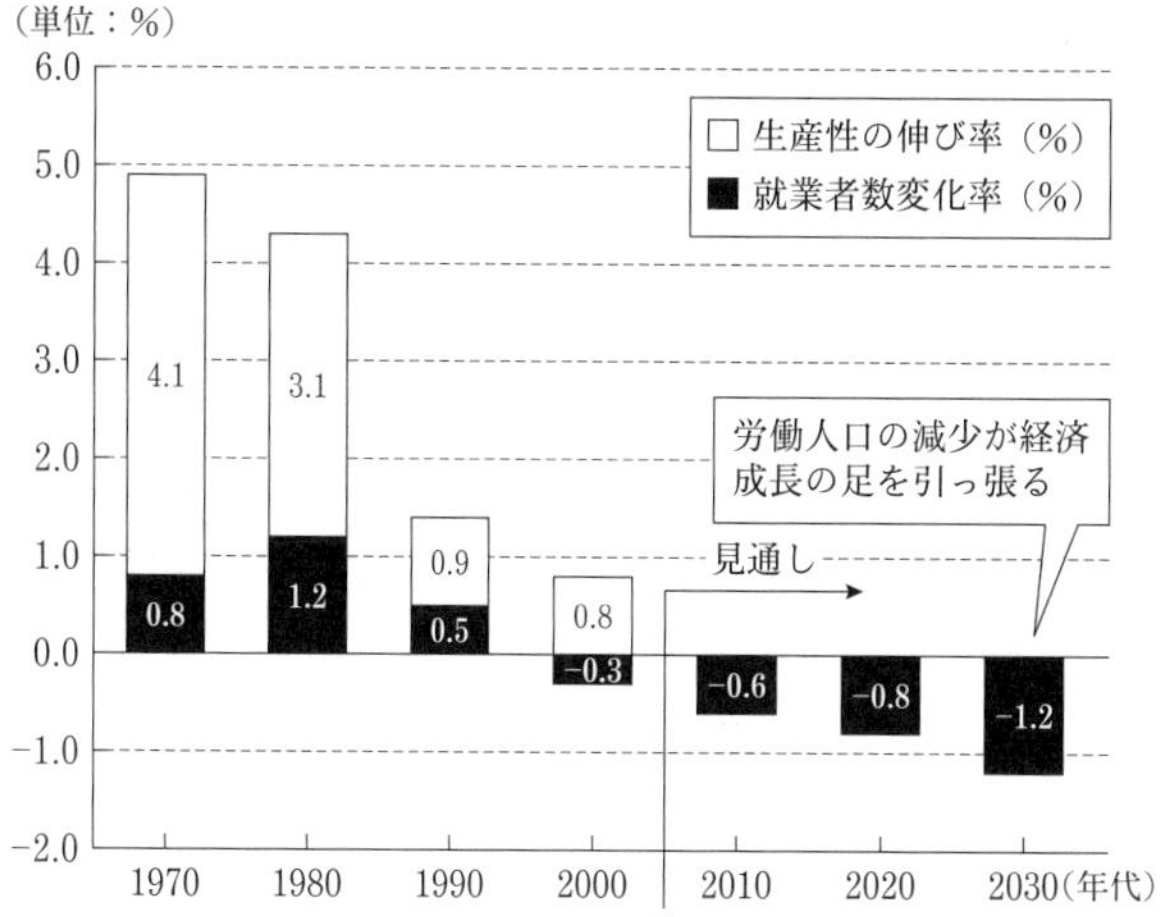

資料：財務省財務総合政策研究所「日本経済の現状と課題」（2013）

図１　労働人口の減少が経済成長に及ぼす影響

一人当たりの生産性を上げなくてはいけません。

労働人口の減少が、経済成長率に与える影響については、財務省の資料にある上のグラフを見るとわかります（拙著『日本の未来を考えよう』１３８ページより）。

このグラフのポイントは棒グラフの黒の部分で示された「就業者数変化率」です。一九九〇年代まではプラスだったのが、二〇〇〇年代以降はマイナスに転じています。労働者が減ったぶん、経済成長率にもマイナスに作用するということです。

棒グラフの白い部分は「生産性の伸び

率」を示しています。〝生産性が上がる〟とは国民一人が生み出す価値（儲け）が増えることを意味します。

今後の日本は、就業者数変化率のマイナス分を上まわる勢いで、生産性の伸び率を高めなければいけないということです。なかなか厳しいチャレンジのようですが、後にも述べるように日本の労働生産性はG7のなかでずっと最下位です。学校のテストで九〇点の人が一〇〇点をとるのに比べたら、五〇点の人が七〇点をとるほうが楽です。

人口減少を食い止めると同時に、一人当たりの労働生産性を高める。ここに伸びしろがあります。

少子化の原因を探る

日本の人口減少を食い止めるには、まず原因を突き止めなくてはいけません。どうして赤ちゃんが以前ほどたくさん生まれなくなったのか。原因は一つではなく、いくつか複合的に作用していると見るのが妥当です。

第一に挙げられるのは、低収入の非正規雇用に代表される経済的な問題です。日本の雇用が不安定になったのは、デフレ経済がはじまった九〇年代半ばです。その頃から、収入が低い男性の未婚率が上昇しました。

厚生労働省の調査を見ると、男性の未婚率は所得が低くなるにしたがって高まる傾向が明らかです。三〇歳代の男性で、正規社員の未婚割合は三〇・七％。これに対して、非正規社員のほうは七五・六％とその差は歴然です。結婚率、出生率が低下した一因に、非正規社員の増加があります。

内閣府の調査では、女性でも非正規雇用の未婚率が高いという結果が出ています。ここには育児休業が利用できないなど、制度上の問題も影響しています。男女ともに、低収入の非正規雇用が増加したことが未婚化を加速させたのです。

ただし婚姻率、出生率の低下は、経済問題だけでは説明がつきません。一九八〇年以前も、低所得者層の人口比は現在と同じぐらいありました。だからといって、当時の婚姻率、出生率が低かったわけではありません。「貧乏人の子《こ》沢山《だくさん》」と言われたように、経済的に豊かではない家庭でも、子どもはたくさんいました。いまでも発展途上国は、子どもがたくさん生まれています。

日本ではライフスタイルの変化、価値観の多様化が影響しています。

まず、若い世代は「結婚はコストが高い」と考えているようです。結婚して家庭を築くと、家賃や生活費の負担があり、出産、育児、教育にもおカネが必要です。「自分は収入が少ないから無理だ」とはじめから諦めてしまうのかもしれません。

しかし、昔は「一人口は食えぬが二人口は食える」といわれました。一人暮らしは身軽なように見えて、実は経済的に豊かになれない。むしろ結婚して家庭を築いたほうが、経済的には余裕ができるということわざです。

情報社会になると「子どもが大学を出て就職するまで、養育費や教育費に二〇〇〇万円かかる」などの話が飛び交うから「結婚のコスト」といった意識が出てくるのかもしれません。しかし、結婚のコストが昔より高いというデータは見たことがないので、若い世代の思い込みかもしれません。

減り続ける子育てへのサポート

結婚しても意識的に子どもをもうけない男女もいます。平成の初め頃には、共働きで子どもをもうけない夫婦はＤＩＮＫｓ（Double Income No Kids）と呼ばれ、一種の流行語になりました。

経済的に困窮していないのに子どもをもうけない夫婦が増えたのは、子育てと仕事の両立が難しくなったことも原因でしょう。子育て支援の不足です。

核家族化が進み、家事や育児の手助けを父母に頼ることができない状況が少子化を招いていると言われています。かつて日本では三世代同居型の家庭が多く、親以外にも子どもの面倒を見る大人が家庭内にいて、全員が家庭教育を担っていました。「サザエさん」や「ちびまる子ちゃん」の環境ですね。

家の外も環境が違います。昔は、地域のつながりが強く、大人たちは他人の子も「地域の子ども」として見守る意識がありました。子どもたちも、近所に住む年齢の違う子と一緒に遊び、年上の子が幼い子を世話することは珍しくありませんでした。地域に子育てを支える環境があったのです。

僕が子どもの頃は、近所で赤ちゃんを見る機会はいくらでもありました。親戚の集まりでも、誰かしら赤ちゃんを抱いていたものです。

都市化や核家族化が進んだ現代は、地域のつながりが希薄になり、子育てを助けてくれる人、困ったときに相談できる人が近くにいません。赤ちゃんを見る機会はめっきり減り、

「赤ちゃんがいるのは自然なこと」と思えなくなります。親になってから、乳幼児への接し方がわからない、と育児不安になる人がいるのも無理はありません。

少子化の根本原因はずばり「男女差別」

少子化の原因はいくつも考えられます。真の原因を究明できなければ、的外れの対策を打ちつづけることになります。

政府は二〇〇三年から少子化対策の担当大臣（内閣府特命担当大臣）を任命し、婚活や育児と仕事の両立などを支援する施策を打ってきました。しかし、二〇一九年に生まれた赤ちゃんは統計開始以来はじめて九〇万人を下まわり、八六万五二三九人となって「八六万ショック」といわれました。さらに二〇二〇年は八四万八三五人、二〇二一年は八一万一六〇四人と出生数は史上最低を更新しつづけています。

政府の少子化対策は、ほぼ完敗と見なしていいでしょう。打った手が成果を出せない場合は、原因を見誤っていると考えるべきです。

僕が考える根本原因は、日本の社会にはびこる男女差別です。ここにメスを入れないと、生まれてくる赤ちゃんは増えません。

　政府は、二〇一五年施行の女性活躍推進法をはじめとして、女性が社会で活躍できるように法整備を進めてきました。しかし日本の会社では、いまだに結婚・出産・育児と仕事の両立が困難です。法律や制度を改めても女性活躍が実現しない真の原因は、根深い男女差別だと僕は見ています。

　日本の男女差別は、国際的にも問題視されています。よく引用されるのが、世界経済フォーラム（WEF）が毎年発表している「ジェンダーギャップ指数」です。この指数は経済、政治、教育、健康の四分野で数値化され、0が完全不平等、1が完全平等を示しています。

　二〇二二年発表のランキングでは、日本は総合スコアで一四六カ国中一一六位でした。二〇二一年は一五六カ国中一二〇位でしたから、ほぼ横ばいです。主要先進国のなかでは最低レベルですし、アジア諸国と比較しても韓国、中国、ASEAN諸国より低い結果となっています。

　健康と教育では、日本はほとんど男女格差がありません。足を引っ張っているのは、政治参画と経済参画です。女性の政治家、女性の経営者や管理職が外国に比べて極端に少ないのです。学生時代は男女格差がほとんどないのに、社会人になると格差が顕著になるのです。

「子育てを手伝う」という意識を改めよ

日本企業で女性の出世が難しいのは、いまだに「家事、育児、介護は女性の務め」という意識が社会全体に根強いからです。

フェイスブックにある夫婦の会話が紹介されていました。職場に赤ちゃんを連れていく「子連れ出勤」がベンチャー企業で広まっていることに関連して、女性が発信した文章です。

彼女の旦那さんは子連れ出勤の記事を読んで、「最近、子どもを連れていける会社が増えてるけど、おまえの職場にうちの赤ちゃん連れていける?」と彼女に尋ねたそうです。彼女はすかさず、「なに言うてんねん、あんたが自分の職場に赤ちゃんを連れていくに決まってるやんか」と言い返しました。旦那さんは「おれが連れていくの!?……考えたこともなかったわ」と唖然《あぜん》としていたそうです。彼女は「これまで結婚生活を誤った。明日から旦那をしばき倒して、教育しなおさなあかん」という意味のことを綴《つづ》っていました。

この旦那さんは、特殊な価値観の持ち主ではありません。「子連れ出勤」と聞いて、自分が会社に赤ちゃんを連れていくと考える男性は少数派でしょう。「自分が赤ちゃんを連れて出勤するなんて想像できん」という男性のほうがフツウです。

〝よそに比べたら理解がある〟といわれる旦那さんでも、「家事、育児、介護は、本来は女性の仕事だけど、すべて押しつけると機嫌を損ねるから手伝ってやらな」ぐらいに考えているものです。あくまで「手伝う」であって、自分の仕事という意識はありません。

日本社会がそんな男性ばかりだと、女性は「結婚後も働きながら子どもを産んで育てるのは無理」と、家庭と仕事の両立を諦めます。「稼ぎのいい男をつかまえて、専業主婦になるほうがマシ」と考えるのがいまの日本社会では合理的です。「専業主婦がいい」「子どもはいらない」と考える女性や、「子どもを産まないなら結婚しなくていいし、仕事に専念したい」と考える女性が増えるのは、突きつめて考えれば、男女差別が激しい歪《ゆが》んだ社会構造のせいだというのが僕の持論です。女性にたくさん赤ちゃんを産んでほしければ、まず「家事、育児、介護は女性だけの仕事」という思い込みを壊す必要があります。

今のままでは「移民で人口問題を解決」は難しい

ある集まりで、人口減少の解決策を話し合っていたら、「若い女性の絶対数が減った現状では、出生率を上げても人口は増えない」と主張する人がいました。じゃあ、人口を増やす方法は何があるんやと尋ねたら、「外国から移民を受け入れるしかない」という答えが返ってきました。

若い移民がどんどん入ってくれば、移民たちが子どもを産み、人口が増えると言うのです。たしかに、先進国のなかでは目立って人口が増えているアメリカは、アメリカ人の出生率が上がったうえに、移民の子どもがさらに押し上げました。

この意見が間違っているのは、アメリカと日本では社会構造が違うことを見落としている点です。日本にきた移民のカップルは、母国の習慣や価値観で赤ちゃんをたくさん産むかもしれません。そこはアメリカと同じです。

しかし、夫が日本企業に勤めていたら、夫は長期の育児休業がとれません。妻のほうも産休・育休を何度も繰り返せないから、働きづらいでしょう。家事・育児・介護を一人で受け持ち、専業主婦になるかもしれません。日本の社会構造がわかってくれば、日本人と同じような発想になるでしょう。

日本で移民の二世、三世が育つ頃には、完全に日本人と同質化するはずです。日本企業の諸制度、産業界の価値観が赤ちゃんを産めなくしているのです。

そもそも日本社会は、同じ日本人のなかでも男女がうまく共生できていません。移民と共生していくのはなおさら難しいでしょう。現状のままで移民を迎えれば、それぞれの出身国ごとにコミュニティができるか、みんな母国へ帰ってしまうのがオチです。まず日本人と日本社会が、グローバル基準に合わせなくては、移民受け入れは容易ではありません。

「賃金格差」という巨大なロス

企業内で男女差別が目立つのは、賃金、昇進昇格といった処遇の面です。とくに賃金格差は長らく問題とされてきました。

男性の平均賃金を一〇〇とした場合、女性の平均賃金はいくつかという国際比較があります。欧米先進国では軒並み八〇を超えるのに対して、日本は七〇を超える程度です。

もちろん、企業の賃金制度で男女に差をつけることは法律で禁じられています。平均賃金で男女差が出る最大の理由は、平均勤続年数の違いです。日本では男性の勤続年数が女性を大きく上まわり、男性を一〇〇とすれば女性は六七を超える程度です。

男性の勤続年数が長くなるのは当然と思われるかもしれませんが、スウェーデンの勤続年数格差は一〇四近くです。つまり、女性のほうが長く働いているのです。

日本で女性の勤続年数が少ないのは、結婚、出産のタイミングで会社を辞めるケースが多いからです。しかも一度退職すると、正社員に戻ることが難しい。子育てが終わって働こうと思っても、非正規社員やパートタイマーがほとんどです。

深夜残業をはじめとする過酷な長時間労働が、人事評価に結びつくのも女性には不利です。また、昇進の機会が少ない事務職に就けば、キャリアアップが困難になります。

同期入社の男女に給与格差が生じるのは、「女性は出産・育児・介護のためにいずれ会社を辞めるか、長期に休んだり時短勤務したりが多い」という考えに基づいています。女性の教育投資は少なめにして、男性のほうにおカネをかける。成長の機会となる責任が重い仕事も男性に与えます。

「入社試験では女子学生のほうが優秀だから、成績順に採用すると新入社員は女性ばかりになる。男女のバランスをとるために、いつも男性にゲタを履かせている」

採用担当者がそう話すほど、入社時点で女性のほうが優秀であることは一般的な傾向です。ジェンダーギャップ指数が示すように、少なくとも学校を卒業する時点では男女格差が小さいのです。

しかし就職後は「女性はいずれ辞めるから」「いずれ長期に休むから」という理由で、教育や成長の機会が男性より少なくなる。一〇年二〇年とその状態がつづき、結果として給与の男女格差が生じるのです。

入社時の成績順を考えると、成長機会が男性と同じであれば、女性の取締役や執行役員はもっと増えていいはずです。つまり日本企業は、優秀な人材を活かしきれていない。産業界にとって大きなロスといえます。

育児休業を男女均等に

日本企業の男女差別をなくすには、人事制度を改めなくてはいけません。賃金、労働時間などで女性が不利な点を見直す。そのうえで僕が最も効果的だと考えるのは、男性の育児休業を義務づけることです。

育児・介護休業法では、赤ちゃんが生まれてから一歳頃まで会社を休めることになっています。これは女性だけの権利ではありません。男女を問わず、従業員が育児休業を希望した場合、企業は正当な理由がない限り、拒否できません。また、育児休業の取得・申請を理由にした解雇、配置転換などの「不利益な取り扱い」も禁じられています。

法律で定められているものの、男性社員が半年、一年と長期の育児休業を取得したケースはあまり聞きません。男性が取得する育児休業はせいぜい数日間です。

ある経営者が「わが社では、パパになった社員は必ず育児休業を取得します。取得率は一〇〇％です」と自慢していたので、「それは立派ですね。取得日数はどれぐらいですか？」と尋ねたら急に歯切れが悪くなりました。「だいたい一日か二日」という返事に思わず噴き出しました。「一日だけの育児って何？」とツッコみたくなります。

育児休業は、女性の九割近くが半年以上の取得であるのに対して、男性は六割以上が一カ月未満で、五日未満が三割弱も占めています。

悪いのは経営者だけではありません。経済産業省でさえ、一日でも育児休業を取得した男性職員は表彰されるという愚かな制度がありました。企業はこれにならって、強制的に一日だけ育児休業をとらせて「男性の育休取得率一〇〇%」とPRしているのです。

もし表彰制度を設けるなら、少なくとも二週間以上でなければ意味がありません。民間企業の模範と見られる経産省が、不勉強な思いつきで愚かな制度を設けるから、社会全体が歪んでしまうのです。

僕が提唱してきたのは「男性の育休は数カ月以上の義務化」です。男性は数カ月にわたって育児に専念しないと脳内に「オキシトシン」が分泌されないという研究成果を読んで以来、そう主張してきました。

オキシトシンは「愛情ホルモン」とも呼ばれ、相手を慈《いつく》しむ気持ちのもとになるホルモンです。女性は出産時に自然と分泌されるのに対して、男性は数カ月ほど育児を経験してはじめて分泌されるのです。

「だから、赤ちゃんが生まれたら、旦那さんを徹底的にこき使いなさい。できるかぎり、赤ちゃんの世話を任せる。そうすれば家族愛がどんどん大きくなって、いい旦那になりますよ」

僕は結婚した女性によくそう話します。

男性が長期の育児休業を取得するようになれば、社内の男女差別が少しは是正されるでしょう。「男性は赤ちゃんが生まれても休まない」という前提だから、能力が劣っていたとしても、女性より成長の機会をたくさん与えられてきたのです。「男性も数カ月から一年ぐらい仕事を休んで育児に専念するもの」という前提なら、成長の機会は男女の区別なく与えられ、高い成果をあげた女性が出世していくはずです。

　男性のほうも「妻を家の外で働かせないのが男の甲斐性だ」と愚かな価値観にとらわれています。歴史を見ても、世界を見ても、人間は男女ともに働いてきました。働かないのは王族とか貴族とか、ごく一部の特殊な人たちだけです。

　昔のように、仕事の大半が筋力を必要とする重労働なら「男は仕事、女は家庭」という性分業も理解できます。しかし、デスクに座ってパソコンを操作したり、お客さんに商品をすすめたり、企画を考えたりする仕事に男女の差はありません。むしろ今後は、儲かるビジネスや売れる商品を考えることが重要ですから、ショッピングが好きな女性のほうが適性は高いかもしれません。

　働き方を見てもそうです。男性はダラダラ働いて、帰りに赤ちょうちんに寄る人が多い。それより、キビキビ働いてさっさと帰る女性のほうが生産性は高いでしょう。奥さんのほうが優秀なら、旦那さんが家事や育児を多く担当するほうが一家の年収は増えるかもしれません。日本経済にとっても、優秀な女性がバリバリ働くほうがプラスです。

「赤ちゃんは母親が育てる」はごく最近のこと

歴史的な視点で詳しく説明しましょう。

われわれホモ・サピエンスにはおよそ二〇万年の歴史があり、そのうち一九万年は群れのなかで暮らしました。集団保育、集団介護のしくみが長らく維持されてきたのです。

ホモ・サピエンスは群れで放浪しました。泉が湧いているのを見つけると、リーダーが「ここで二、三カ月キャンプしよう」と決める。働ける男女は、みんなそこから狩りやはちみつ探しに出かけます。キャンプに残るのは高齢者、病人や怪我人でした。

赤ちゃんを集めて面倒を見るのは、働けない者の仕事。いわば保育所です。二〇万年のうち一九万年は、そうやって集団保育で子どもを育てたのがホモ・サピエンスです。家事、育児、介護は社会全体で支え、男女で等しく分担するのがスタンダードでした。

サラリーパーソン家庭を中心に核家族化が進み、専業主婦が生まれ、女性がワンオペで家事・育児・介護を担当するようになったのは、人類の歴史からいえば、ごく最近のこと

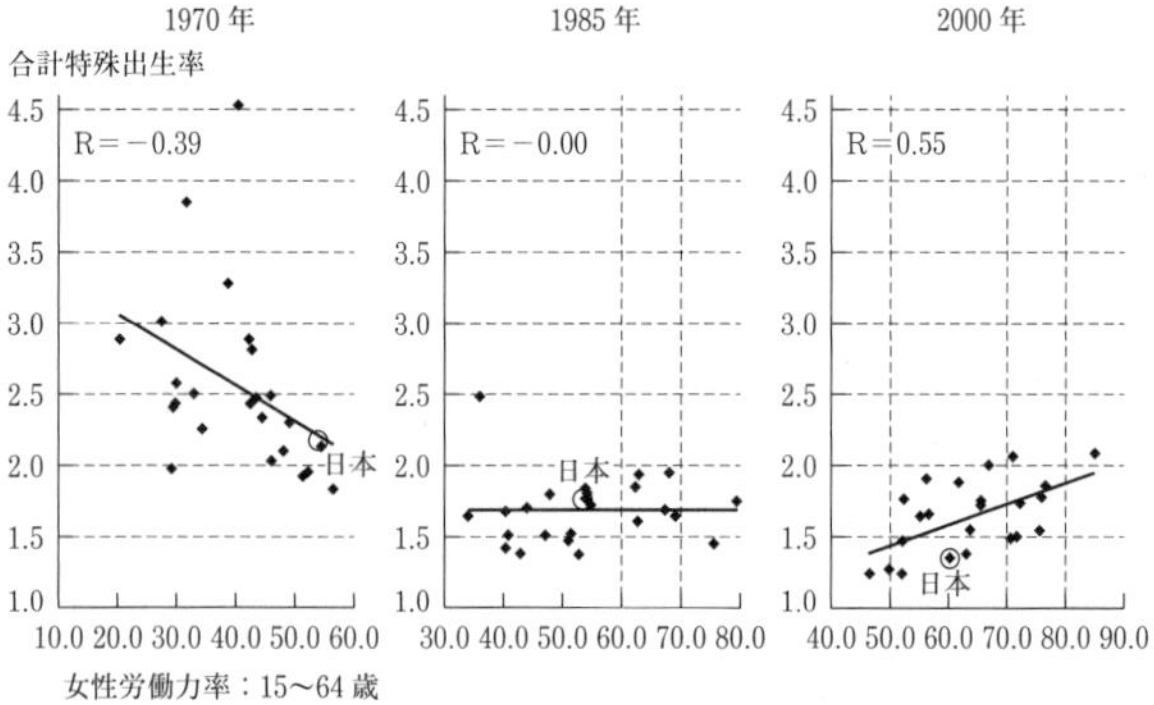

出典：内閣府　男女共同参画会議／少子化と男女共同参画に関する専門調査会「少子化と男女共同参画に関する社会環境の国際比較報告書」（2005年）

図2　合計特殊出生率と女性労働力率

です。

日本には「女性が社会進出し、女性活躍が進むほど出生率が下がる」という迷信が根強く残っています。少子化の原因として、女性の社会進出を挙げる人もいまだにいます。

ＯＥＣＤ加盟国のうち、二〇〇〇年の一人当たりＧＤＰが一万ドル以上となっている二四カ国で、合計特殊出生率と女性の労働力率を年代別に比較した調査があります（図2）。

一九七〇年のデータでは、女性がよく働く国ほど出生率が低いという傾向が見られました。しかし、一九八五年にはその近似線はほぼ横ばいとなり、二〇〇〇年になると逆の動きに転じています。

つまり、現在は「女性が働く国ほど出生率

が上昇する」が世界の常識です。もちろん、働く女性をバックアップする社会のしくみがある前提です。

ちょうど二〇〇〇年前後に、フランス人の女性に意外なことをいわれて印象に残ったことがあります。フランスでは、専業主婦より家庭の外で働く女性のほうが子どもをたくさん産むというデータがあります。日本の常識とは逆だと話したら、こう言われました。

「外でバリバリ働く女性のほうが、人生にチャレンジングでしょ。アグレッシブな女性のほうが、たくさん赤ちゃんが欲しいと思うから当然でしょ」

僕はビックリしました。女性が社会に出て働くのは大変だから、生活に余裕のある専業主婦のほうが赤ちゃんをたくさん産むのだろうと思い込んでいたからです。しかし、実際に働く女性のほうが赤ちゃんをたくさん産むフランスの女性に説明されたら、反論のしようがありません。

フランスでは生まれてくる赤ちゃんの半数以上が婚外子というのも、働く女性がアグレッシブであることにつながるかもしれません。

フランス社会は働く女性を支えるシステムが整備され、子育て支援が充実しています。合計特殊出生率が一・八以上と、先進国のなかで高いのもうなずけます。

フランスの歴史人口学者エマニュエル・トッドも、「日本の最大の課題は出生率の向上だ。そのためには男女差別を撤廃するしかない」と述べています。家族問題の専門家にも指摘されているのですから、耳を傾けないわけにいかないでしょう。

夫婦別姓容認は世界の常識

少子化の根本原因が男女差別なら、すぐに改めるべきです。僕は男女差別を解消する鍵は、夫婦別姓にあると考えています。

事実婚をつづけるカップルのなかには、「どちらかの名字に変えるのが煩《わずら》わしい」と、結婚しない理由を説明する人たちがいます。事実なら、夫婦別姓を導入するだけで結婚するカップルは増えるはずです。婚外子が少ない日本では、事実婚で子どもをもうけるケースはわずかです。

事実婚が出生率を下げ、事実婚でいる理由の一つが夫婦同姓であるなら、夫婦同姓が間接的に出生率を下げてきたことになります。夫婦別姓は少子化対策であり、人口減少を食い止める有力な手段です。

時間のタテ軸、空間のヨコ軸で考えてみましょう。日本の歴史、世界の歴史を紐解いても、現在の世界各国を見比べても、夫婦別姓のほうが一般的であり、夫婦同姓の国は少数派です。

日本の夫婦同姓は民法で「夫又は妻の氏を称する」と規定されています。しかしデータを見ると、九六%は夫の姓になっています。実質的には、女性に男性の姓に従うことを強制していることになります。夫婦同姓が差別にあたるというのはこの点です。これがほぼ五〇%なら、たしかに憲法の婚姻の規定である「両性の合意に基づく」ものとして、「夫又は妻の氏を称する」と納得できます。

しかし実態は男女平等の精神に反していますから、日本は国連から繰り返し是正勧告を受けてきました。

国連では一九七九年に女子差別撤廃条約が定められ、日本は一九八五年に批准しています。この条約は、女性差別の根絶を目的とし、国連は夫婦別姓を推奨しています。先進国のなかで、夫婦別姓を法律で認めていないのは日本だけです。

国連の女子差別撤廃委員会は、日本に対して二〇〇三年、〇九年、一六年に夫婦同姓を定めた民法を改正するように勧告してきました。しかし最高裁判所は、一五年には夫婦同姓を定めた民法七五〇条は合憲とし、二一年には同法同条と夫婦別姓を認めない戸籍法七四条一号は合憲と判断しています。恥ずかしいですね。夫婦別姓を認めない法律家がいるのは、先進国では日本だけです。

「夫婦別姓」一点突破で日本は変わる

僕自身も、かつては夫婦別姓の必要性についてはほとんど意識していませんでした。しかし長女の話を聞いて、僕の考えは一八〇度変わりました。

僕の長女は公務員で、結婚後も仕事上の姓は「出口」のまま通しています。名刺を作り直したり、姓が変わったと説明したりする手間が大変だからです。

ところが、あるとき職場に会計検査院の人がきて、「申請書等は、戸籍名を記入せよ」と言われたそうです。職場では旧姓のまま通していることを説明し、ものすごく面倒だったと話していました。

僕は「夫婦同姓は、夫婦のどちらかにえらい不利益をもたらすなぁ」と感じて、海外事情などを調べました。先進国で夫婦同姓を法律で定めた国はほかになく、国連ではむしろ夫婦別姓を推奨していると知って驚きました。長女の苦労話を聞かなかったら、夫婦同姓の問題に永遠に気づかなかったかもしれません。

たとえば、大手ソフトウェア会社のサイボウズを経営する青野慶久社長たちは、結婚時に夫婦別姓を選べない戸籍法の規定は憲法に反していると一八年一月に国を訴えました。夫婦同姓を義務づける現在の法律は憲法違反だとする訴えで、精神的苦痛を受けたとして計二二〇万円の損害賠償を請求しました。法律の改正案も提案したそうです。原告四人のうち、青野社長ともう一人は、旧姓のまま結婚できなかったことで現在まで不利益を受けている。あとの二人は、旧姓を使うことができないために事実婚を余儀なくされたカップルでした。

しかし一九年三月、東京地方裁判所での一審判決で訴えが棄却され、二〇年二月に東京高等裁判所での二審判決でも控訴が棄却されました。青野社長たちの訴えは、最高裁で審議されることなく、二一年六月に別の夫婦別姓裁判とともに上告棄却となり、敗訴が確定しました。

僕が注目したのは、事実婚を余儀なくされた方たちです。旧姓のままでいたいから結婚できない、結婚しなければ子どもを産めない。本当は赤ちゃんが欲しいのに事実婚のために出産できない人もいるはずです。

国会でも夫婦別姓についてはたびたび議論されてきました。「夫婦同姓は、日本の伝統だから守らなければいけない」と話す国会議員もいます。

しかし日本が夫婦同姓になったのは、一八九八年（明治三一）に施行された旧民法からです。「戸主及び家族は其家の氏を称す」（旧民法七四六条）、「妻は婚姻に因《よ》りて夫の家に入る」（旧民法七八八条）と規定されて以降なのです。

旧民法で夫婦同姓を定める二二年前、一八七六年（明治九）に出された太政官指令では、夫婦別姓と規定されていました。明治維新前は藩ごとに多様な氏姓制度が存在し、中国や韓国と同じように夫婦別姓が日本の伝統だという説が有力です。中学校の歴史でも、源頼朝の奥さんが北条政子で、足利義政の奥さんが日野富子だと教わりますから、「日本の伝統」というには無理があります。

僕は夫婦別姓が認められたら、結婚する人たちが増えて、日本の出生率は向上すると考えています。夫婦別姓は、少子化問題と遠いように見えて実は近い。夫婦別姓から男女差別をなくし、赤ちゃんを産みやすい環境を整備する。まずは裁判所が、夫婦別姓は合憲と判断することが、人口減少問題の解決につながる一点突破だと考えています。

第四章　働き方を変えれば生産性は上がる

日本の労働生産性は万年最下位

人口減少のなかで日本がＧＤＰを維持するには、一人当たりの労働生産性を高める必要があります。日本人の働き方を抜本的に見直すということです。

日本人の労働生産性が国際的に見てきわめて低いことを確認しましょう。

労働生産性とは〈儲け（付加価値）÷投入時間〉です。少ない時間でたくさん儲けたら生産性は高く、長く働いて儲けが少ないと生産性は低い。

「日本人の労働生産性が低い」というのは〈日本のＧＤＰ÷日本人の総労働時間〉を計算し、他の国々と比較した結果です。

ＯＥＣＤの国際比較を見ていきましょう。

日本の労働生産性はＧ７（フランス、アメリカ、連合王国、ドイツ、日本、イタリア、カナダ）のなかで万年最下位です。

「現在はビリだとしても、高度成長期は生産性が高かったんじゃないの？」と首をかしげる人がいるかもしれません。しかし、調査を開始した約五〇年前から、日本は一度も最下位から浮上したことがありません。

GDPで世界第三位にもかかわらず、日本の労働生産性が低いのは、分母となる〈投入時間〉が他国に比べて異常に多いからです。

OECD調査によると、一九七〇年頃の日本は、就業者一人当たりの平均年間労働時間が二二〇〇時間以上もありました。まだ週休二日制の会社が少なかった時代です。一九八〇年代には週休二日制の会社が増え、二一〇〇時間を切りました。しかし欧米各国は一八〇〇時間前後だったので、「日本企業が強いのは、従業員がワーカホリックのせいだ。不当競争だから日本も一八〇〇時間にしろ」と、アメリカなどから圧力をかけられました。

現在、日本の平均年間労働時間は一七〇〇時間あたりまで減りました。しかしこの数字は実態を表していません。この平均時間にはパートタイマーが含まれているからです。

パートタイマーの労働時間は年間一一五〇時間ほどで、九〇年代からあまり変わっていません。しかし非正規雇用が増えたことでパートタイマーの比率が大きくなり、平均値を下げているのです。

一般社員を見ると、現在も二〇〇〇時間ほどで、管理職は二一〇〇時間以上です。つまり、ワーカホリックと批判された日本人の働き方は、三〇年あまりほとんど変化していないのです。

日本人の労働時間が多い理由は、二つあります。一つは会社を休まないこと、もう一つは出勤したら会社にいる時間が長いこと。

ドイツの労働時間法では、一日八時間が労働時間の上限です。年間一四〇〇時間を切るのも、法律が整備されているからだとわかります。それでもドイツは、名目ＧＤＰで日本に次ぐ世界第四位です。

フランスは週三五時間労働を徹底させています。ヨーロッパの国々は時短に積極的です。よく知られるように、ドイツやフランスは有給休暇消化率が一〇〇％近くあり、バカンスを一カ月近く楽しむ人が少なくありません。ヨーロッパ諸国では「休む文化」が根づいているからです。

一方、日本は年次有給休暇の日数が少ないにもかかわらず、消化率は低い。制度としては休めるのに、実際は休まない。上司や同僚の目が気になるからだと思います。

一週間の労働時間を見ても、日本人の長時間労働は明らかです。ＯＥＣＤ調査では、日本で週五〇時間以上働く人は約二二％です。週休二日の会社なら、月曜から金曜まで毎朝九時に出勤し、夜八時まで残業したらだいたい五〇時間ですね。

日本の約二二％に対して、ドイツは約五％、アメリカは約一二％、連合王国は約一三％。別の調査では、労働が週五〇時間を超えると、心臓疾患や脳卒中、うつ病などの精神疾患が急激に増えるというデータがあります。週五〇時間は赤信号が点灯するラインなのです。

つきあい残業が足を引っ張る

日本の生産性を下げている原因を探っていきましょう。

第一は〝つきあい残業〟です。

昔の時代に比べて、日本人がドライになったとはいえ、「上司や同僚が残業していたら帰りづらい」という人はいます。急ぎの仕事はないのに、定時になっても帰らない。「デートの約束がないから、とりあえず何かするか」とネット検索などをはじめ、気がつくと二時間ぐらいたっている。上司や同僚の仕事を手伝うわけでもなく、ただデスクに座っているだけ。誰か帰りはじめると、「そろそろかな」と空気を読んで席を立つわけです。

このつきあい残業は習慣化すると〝ダラダラ残業〟になります。朝、出勤したときから定時に帰る気がないから、五時間で終わる仕事に一〇時間かける。夕方に早めの夜食をとって、残業を準備する。経営者からすれば、「こんな社員に残業代は払いたくない」と思うでしょう。

上司は、部下たちが遅くまで残っていると機嫌がいい。「遅くまでご苦労さん」「頑張ってるね」と声をかけてまわる。反対に、部下の誰かが定時に帰ったり外出先から直帰したりすると、「あいつ、大丈夫か」と不機嫌そうにつぶやき、部下たちの耳に入る。「この上司は、早く帰ったら減点だな」と忖度《そんたく》がはじまるのです。

生産性の観点では、同じアウトプットなら投入時間が少なければ少ないほど「パフォーマンスが高い」と評価されます。他の人なら五時間かかる仕事が、四時間で終われば優秀、三時間で終われば超優秀です。

しかし昔の工業社会は、時間あたりのアウトプットはだいたい一定でした。ベルトコンベアは、一時間に完成する製品の数が決まっているからです。一人の従業員が一時間に取り付ける部品の数も同じ。残業しないかぎり、アウトプットは増えません。

仕事の速さこそ高く評価すべき

高度成長期は、モノを作れば売れた時代です。売上と利益は労働時間の長さに比例しました。会社にいる時間が長いほど、儲けを増やすので〝優秀な社員〟でした。

社内に「誰でもアウトプットが一定」の前提がなければ、残業代を払うとおかしなことになります。七時間で終わる仕事をダラダラ進め、一二時間かけて五時間分の残業代をもらう人たちが増えるからです。会社が儲かるはずはありません。

早く仕事を仕上げて帰ってくれたほうが、残業代も光熱費も減って会社は得します。頭では計算できてもつきあい残業をつづけるのは、「遅くまで残業するのは頑張っている人」という工業社会の価値観が捨てきれないからです。

「会社に長くいるほど偉い」の価値観は、一日の働き方だけでなく、長期的にも当てはまります。勤続年数が長いほど立場が上がる年功序列です。

工業社会モデルでは、個人の労働生産性やパフォーマンスが評価されません。流れ作業ですから「担当している部品はみんな取り付けました。お先に失礼します」ができないのです。

個人のパフォーマンスを評価しなければ、給料に差はつきません。年功序列の給与が最適です。

時間当たりの労働生産性が上がるとすれば、ベルトコンベアがスピードアップしたときです。みんなそろって作業が速くなるから、給料に差はつきません。

もちろん、仕事が丁寧だとか、周りをサポートするとか、評価に差をつける要素はありました。しかし、月給が二倍、三倍になるほどの差はつきません。残業して会社に長くいるほうが、給料は格段に高かったのです。

長時間労働は、工業社会では儲けを増やすための手段でした。その手段がいつしか目的化し、働き方の価値観となった。工業社会ではない二一世紀になっても、昔の価値観は職場に残っています。仕事をスピーディーに終わらせて帰る人より、職場に長時間いる人のほうが偉い、という価値観。長時間労働はいまや儲けを増やす手段でないどころか、イノベーションの妨げになっています。

ターゲット時間を定める

労働生産性を上げる第一歩は、「決められた時間内にアウトプットを出す」と意識することです。

日本の職場では、生産性の計算で分母となる〈投入時間〉を際限なく増やす傾向があります。これが長時間労働の元凶です。

そうではなく、「この仕事は×時間以内に終わらせる」と先に決めてタガをはめる。その時間内に終わらせるにはどうしたらいいかと考える。そこが出発点になります。

労働時間について、僕は「四＋五＝九と考えない」とよく話します。

午後四時に上司から「急でわるいけど、今日中にこの仕事を仕上げてくれ」と指示されたとしましょう。仕事の中身を聞くと、五時間ほどかかりそうです。ところが、今夜は七時からデートの約束がある。いつもなら五時間かけるところを三時間で終わらせるにはどうすればいいのか――妙案はないかと必死に知恵を絞る。この解決策をひねりだすチャレンジが、イノベーションにつながるのです。

上司のほうは「早く帰るのは業務態度がわるい」「風邪ぐらいで休むな」という価値観を自ら否定しなくてはいけません。これからの管理職は、生産性を高めるイノベーションが仕事です。

たとえば、意図的にいつも部下が五時間ぐらいかける仕事を与え、「四時間で終える方法はないかな?」と一緒に考える。クリアしたら「こんどは三時間で終わらせる方法はないかな?」とまたチャレンジする。自分だけでなく、部下にもイノベーションを常に求めます。

もちろん、個人の意識変革だけでなく、会社のしくみに生産性向上を組み込むことがなにより大切です。働き方改革の一環で、残業を禁じる会社は増えています。たとえば、午後六時に職場の電気を消して、フロアの入り口を施錠するような取り組みです。あるいは、「上司の指示がないかぎり、残業はできない」とルール化し、残業の多い職場の管理者は評価を低くするといった取り組みです。

そのような経営方針の大きな転換は、経営トップの仕事です。トップが「働き方改革を進めて、長時間労働は必ずなくす」と決断しなくては成功しません。

仕事に集中できるのは二時間が限界

日本の働き方は、そもそも脳のしくみに合っていません。生産性が低いのも当然です。

仕事に集中できる時間は、優秀な人でもせいぜい二時間程度です。時間生物学のウルトラディアンリズムでは、九〇分集中して二〇分ほど休憩するのが最も効率的だとされています。睡眠中に深い眠り（ノンレム睡眠）が六〇分から九〇分ほどつづき、浅い眠り（レム睡眠）が一〇分から三〇分つづいてワンセットになるのと同じ体内時計のリズムです。一般に大学の講義が九〇分なのは、このリズムに合っているということですね。

この二時間サイクルを一日に三回繰り返せば、仕事のアウトプットとしては十分なはずです。四回も繰り返したら、脳みそはもうヘトヘトでしょう。それで八時間労働ですから、会社に一二時間いたとしても、集中していない時間が長いだけの話です。

肉体労働と頭脳労働の違いもあります。たとえば体力さえあれば、一二時間ぐらい部品の取り付け作業ができるかもしれません。しかも疲れてきて手が止まったり作業が遅れたりすれば、自分も同僚もすぐにわかります。疲労に気づきやすい。

ところが、頭脳労働の場合は、疲れて思考が止まったり遅れたりしても、同僚は気づきません。手が止まっても「考えてるのかな」と思うぐらいです。

本人さえ気づかないことがあります。集中してハイペースに進むときと、疲れてきてスピードダウンしたときの差が自覚できない場合もあります。頭脳労働が、同じことの繰り返しではない点も自覚しにくい要素です。

原発事故が実証　長い会議が質を下げる

この「脳みその疲れは自覚できない」については、たいへん興味深い事例があります。東日本大震災の際に、東京電力の本店と福島はじめ複数の原子力発電所を結んで開かれたテレビ会議です。原発事故対応の会議は二〇〇日間の音声記録が残り、この間の参加者の発言は約三万四〇〇〇回にのぼりました。その内容はＡＩで分析され、「ＮＨＫスペシャル」で紹介されました。

東京電力の本店、原子力発電所といえば、エリートと呼んでいい優秀な人材の集まりです。そのエリートたちが原発事故という危機的な状況に、気力、体力、能力の限りをつくして対応していく様子がよくわかります。その会議の文字起こしはＮＨＫのサイトで公開されています（https://www3.nhk.or.jp/news/special/shinsai-portal/6/genpatsu/index.html）。

専門家が映像を観ると、会議開始から二時間を過ぎたあたりから、参加者の能力は確実に低下していくそうです。相手の発言が正確に理解できなかったり、同じ話を繰り返したりする。

大震災後の極限状態。「原発事故から日本を救う」という大きなミッション。最高クラスのエリートたちが必死に考えて意見を述べる。会議の緊張感は最高レベルです。それでも、脳みそは二時間ほどで限界を迎える。気力や根性では何ともならないのです。

彼らより能力も気力も劣る人が、五時間も六時間も仕事に集中できるはずはありません。「長時間労働でも集中すれば成果は高まる」とまゆつばの精神論を持ちだす人には、「思い上がりもたいがいにせえよ」といいたくなります。

原発事故は一分一秒を争う緊急事態です。通常のビジネスで、作業や会議を二時間以上つづけたところで、生産性を下げる振る舞いでしかありません。

六〇分以内で終わる会議術

日々の仕事でムダな時間といえば、真っ先に思い浮かぶのが会議でしょう。ビジネス雑誌の特集でも「ムダな会議をなくす方法」は人気のテッパン企画です。

会社にいると「この忙しい時期に会議なんか出たくない」という愚痴をよく聞きます。ムダとわかっているのにやめられない。会議術の特集が繰り返されるのはその証《あかし》です。

僕がライフネット生命を創業したとき、会議室はできるだけ少なくし、予約は三〇分が基本、最大で六〇分までと決めました。延長はできません。

残業を減らすのと一緒で、「ムダな会議は控えましょう」「会議は短時間に」と、社員たちに意識改革を求めても効果はありません。無理やり意識を変える仕掛けが必要ということです。一生懸命に号令をかけたり、精神論を述べたりするのは、「私には仕掛けを考える知恵がありません」と表明しているようなものです。

そのとき考えた理想的な会議の流れは、次のようなものです。

まず会議は、何のために集まり、何を決めたいかという目的が大切です。この目的が明確でないと、すぐに話が脱線し、無意味な会話がつづくことになります。

そのため必ず事前に資料を配布します。そこには会議の目的や位置づけ、必ず結論を出す項目、余裕があれば討議する項目、タイムテーブルなどを明記します。いわゆるアジェンダですね。

その資料に、参加者は必ず目を通しておく。会議開始から一〇分間は、その資料についての質疑応答に充《あ》てます。この一〇分間が、会議を短時間で終わらせるうえで鍵となります。

日本の会議では、事前資料に目を通していない人たちがいます。そのため、会議のはじめに資料の内容を順を追って説明します。なかには「読み合わせ」と称して、議長が資料の頭から朗読することもあります。それだけで二〇分も三〇分も浪費してしまいます。そんな小学校低学年みたいなことが、企業の会議だけでなく、政府の審議会でも繰り返されているから驚きです。

事前資料を読んでこないのは論外。会議室に入る資格はありません。読んでいないとわかれば、即刻退室してもらいます。議論の前提を理解していない人間が座っているだけで、会議は滞《とどこお》るからです。

初めの一〇分間で資料の疑問点に答えたあと、議長は「きょうは資料をベースに、この三つを決めます」と宣言して進行していきます。

会議は一時間ですから、一項目につき審議時間は約一五分です。「これについて順番に一分以内で意見を述べてください」と持ち時間を決め、全員に意見を述べてもらいます。そこでも質疑応答し、最後に決議を行います。

日本の会議で最も未熟な部分は、事前準備がほとんどない点です。議長が会議の目的等を明記した事前資料を作成しない。事前資料を読まないで会議室へ向かう。それで会議ができるはずはありません。ムダな会議がはびこる原因です。

経営トップこそもっと勉強しなければならない

一回の会議を短時間にする一方で、開催回数を減らすことも重要です。管理職のなかには、一日にいくつもの会議に出席して、デスクに落ち着いている姿をめったに見ない人もいます。自分の仕事がはじまるのは夕方から。おかげで、部下も帰れないというわけです。

その上司も好きこのんで会議に出席しているのではないでしょう。「こんなしょうもない会議はやめてほしいわ」と思っても、欠席したら主催者の顔を潰すし、苦情をいっても角が立つだけです。「半分寝ながらやりすごそう」とゆるい気持ちで参加して、まともな意見が出るはずがありません。

そんな質の低い会議はなくしても困りません。日本の会社で開かれている会議は、おそらく半分以上は不要でしょう。

会議を減らす方法はむちゃくちゃ簡単です。日曜日に社長がこっそり会社にきて、会議室を半分にする。あるフロアに六部屋あれば、三部屋にする。

月曜日に社員たちが出勤してきたらビックリです。予定していた会議の半分は開く場所がない。社長が「ムダな会議が多いから会議室を半分にした」と説明します。これだけで必要な会議だけが残り、もともとムダな会議はなくなります。

この方法は、僕のアイディアではありません。アメリカの経営学者がある企業で実験し、きわめて効果が高いと実証されたものです。経営学では、働き方改革に効く科学的な実証研究がいくらでもあるので、経営トップは勉強してもらいたいものです。トップが怠け者なら、周囲の人たちが「こんなおもしろい研究成果がありますよ」と無理やり勉強させるか、トップ交代を迫ったほうがいいでしょう。

英語会議の意外な効用

ＩＴ企業の楽天で、ずいぶん前に聞いた話です。

楽天は一九九七年の創業から急成長した会社です。短期間に社員が増え、ほとんどが中途採用でした。

会議を開くと「前の会社ではこんなことをやった」とみんなが話しだして、半ば自慢話大会になる。肝心の議事はちっとも進みません。

そこで三木谷浩史社長が決めたのが、「会議中は全員が英語で発言すること」でした。ちょうどグローバル展開が視野に入った時期ということもあります。

日本人どうしが急に英語で討議すれば、コテコテのジャパニーズ・イングリッシュが飛び交って当然です。とっさになんと表現すればいいのかと詰まってしまう。事前準備がないと会議参加が難しくなりました。「あしたはこれについて話したいけど、英語では何というんだろう」とスピーチ原稿を用意することになります。徹夜で頑張った人もいることでしょう。

その結果、会議時間は五分の一に縮まったそうです。しかも、全員がしっかり討議し、明確な結論が出ます。その場の思いつきで、前職の自慢話を披露することはなくなりました。

　英語のほうが効率的な会議運営ができるとは皮肉な話です。それだけ日本語の会議は、要点が絞れていない無駄な発言が多いということでしょう。その後、楽天が会議だけでなく、社内公用語を英語と定めたのはご承知のとおりです。

　三木谷さんが「これから会議は英語だけ」と大鉈《おおなた》を振るって社内ルールを変更できたのも創業社長だからです。課長や部長が「次回から会議は英語で」と言い出しても、部下は反発して従いません。次節で述べるように、残業をなくすために、トップが社内の総電源を切ってしまうのと同じです。

　逆にいえば、トップがそれぐらい強く意思表明しないと、働き方改革は実現しないということです。トップが中途半端な気持ちでは、せっかくの施策も途中で頓挫します。それこそ時間と労力の無駄です。

　優れたリーダーは、みんなの意識を号令で変える人ではありません。鍵となるルールを変え、みんなの意識が自然と変わるように促す。政治家でも、経営者でも、優れたリーダーは大きなデザインにもとづくルールの設定、変更が実に巧みです。

仕事の持ち帰りは長つづきしない

残業をなくす施策で、最も効果的なのは、社長が決まった時刻にオフィスの総電源を落とすことです。たとえば一九時なら一九時と決め、毎日つづける。天井の照明も、パソコン画面もいっせいに消えて、オフィスは真っ暗。社員はもう仕事ができません。全員の退社を確認したら、社長は総電源を復旧させます。

はじめのうちは社員から不満が出るでしょう。社長が毎日つづければ、社員のほうが「社長は本気で生産性を上げる気やな」と理解して諦めます。電源を落とされる前に退社する習慣がつくはずです。

「強引に帰らせても、家に仕事を持ち帰るだけ。隠れ残業、サービス残業が増えて逆効果だ。仕事の絶対量を減らさないと意味がない」

これは働き方改革について、よく聞かれるネガティブな意見です。早く帰らせると、かえってサービス残業が増えるからよくない、仕事量を減らすほうが先だというわけです。

たしかに、社長が総電源を落としても、すぐに生産性は上がりません。自宅に仕事を持ち帰る人もいるでしょう。しかし、それは三カ月から半年の間に跡形もなく消え失せると、アメリカの研究で結論が出ています。

新型コロナウイルスによるリモートワークで、在宅勤務を経験された方も多いでしょう。初めの一週間ぐらいは、家でパソコンを広げて仕事をしても、家族は優しく接してくれます。「お父ちゃん、ぼくらのために頑張ってくれてるな」と尊敬されるかもしれません。

ところが、一カ月もつづくと家族の態度は変わってきます。「家にいるんだから、もっと家事をやって」「遊んでくれないからつまんない」と不満がふくらみます。

僕自身にも経験があります。原稿の締切に追われ、自宅でご飯を食べながら原稿を書いていたら、家族から「食卓で仕事をするものではありません」とたしなめられました。たまになら見逃してもらえても、それが毎日毎日では、家族の目は厳しくなります。「自宅で仕事はできんもんやな」とつくづく思ったものです。

新型コロナの自粛期間中に「家じゃ仕事ができないから」と、レンタルオフィスを借りたりネットカフェへ通ったり、ステイホームしないでフラフラしていたという話も聞きました。利用者が減ったカラオケルームで、リモートワーク用のサービスをはじめたのも、そういうニーズに応えたのでしょう。

社長が総電源を切りつづければ、結局は「それまでに仕事を終わらせるしかない」と社員は観念します。仕事の段取りを変え、スピードアップを図ります。ダラダラ仕事をなくすためのイノベーションにチャレンジするということです。

はじめから残業をなくすために業務量を減らしたら、このチャレンジは起こりません。生産性の低い働き方に業務量を合わせてしまえば、イノベーションは必要ないからです。

「昔の価値観」で動く会社に人材は集まらない

現場の部課長だけでなく、経営者がまず昔の価値観を捨てなければいけません。夜遅くまで残業する社員、長く勤務してきた社員を「会社への忠誠心があって偉い」と考えていたら労働生産性は上がらない、だからちっとも儲からないと考えたほうがいいでしょう。

いま儲からないだけでなく、会社の将来も危ぶまれます。昔の価値観で動いている会社に、優秀な人材は集まらないからです。少なくとも、第二章で説明した〝変態〟たちは、仕事のパフォーマンスで評価されない会社で働こうと考えません。自分がどれだけ成果をあげても、夜遅くまで残業する社員や勤続年数が長い社員のほうが評価される。同期のなかでは自分より生産性が低い奴が早く出世して給料が多く、もしかすると上司になるかもしれません。

本当に優秀な人材は、自分より愚かな上司の下で働くことが我慢できません。愚かな上司の顔色を見ながら働いたら、自分まで愚かになってしまうことがわかるからです。

「日本の企業は、給料が少ないから優秀な人材が集まらない。成果をあげれば、二〇代でも数千万円の給料がもらえる外資系に勝てるわけがないよ」

若者の就職活動について、そんな印象をもっている人がいます。いまの若者は、同じ会社に勤めつづける気がないから、まずは給与が高いこと、スキルが身につくことなどを重視するというのです。

たしかに、そういう若者は増えていると思います。昔と違って、「この会社に一生お世話になるんだ」と思って就職する人は少ないでしょう。この三〇年間で、日本を代表する大企業でも、いきなり経営破綻することが明らかになりました。一〇年後、二〇年後は誰にも予想がつかない。会社への期待感も忠誠心もないので、「自分が持ち運びできるスキルが身につくことが一番」と考える若者もいます。

たとえば東大生のトップクラスは、大学院に在学中からスタートアップをめざすという話があります。彼らが最も魅力を感じないのは、旧態依然とした日本の大企業です。ホームページの役員一覧を見たら、六〇代五〇代の似たような印象のおじさんばかり。外資系企業のように三〇代や女性や外国人はいません。彼らが日本企業に就職する場合も、将来の起業にむけてビジネスの基本スキルを身につけるためです。「もうここで学ぶことはない」と見切りをつけたら、迷うことなく辞めていきます。

会社と社員の関係は、ボーイフレンドとガールフレンドの関係と同じです。自分は相手のことを大切に思って付き合っているとしても、相手がずっと一緒にいてくれる保証はない。こちらに魅力がなければ捨てられる。当たり前のことです。恋人をつなぎとめる方法を考えるより、自分の魅力を磨くほうが効果的です。

優秀な人材にきてほしいなら、魅力ある企業になることです。就職したくなる企業、勤めつづけたい企業になるためにはどうすればいいかと考えるべきでしょう。それはけっして年収だけではありません。

たとえば、第二章で紹介したＧＡＦＡＭを創業した〝変態〟たちは、天才的なオタクなので、自分が好きなことだけで高いパフォーマンスを発揮します。たとえ給料が多くても、有名な企業に勤めても、自分が没頭できるおもしろい仕事でなければ、その天才的な能力が発揮できません。彼らを惹《ひ》きつけるのは、まずおもしろい仕事、そして自由な空気なのです。

高い給料よりもわくわくドキドキ

行動経済学では「収入や資産の額と幸福感は比例するが、金額がある水準を超えると〝感情的な幸福感〟はそれ以上増えない」という結果が出ています。この調査結果はプリンストン大学のダニエル・カーネマンたちが二〇一〇年に発表し、大きな反響を呼びました。

画期的だったのは、二つのカテゴリーに幸福を分けたことです。きょうの心理状態という意味での「幸福」と、自分の人生全体を評価できるかという意味での「幸福」です。たとえば、みんなから褒められて気分がいいと感じる幸福と、人生に満足している幸福は違うということです。

この調査では、次の結果が得られました。

・世帯年収が七万五〇〇〇ドル（日本円で約八〇〇万円）以下の人では、収入と「よろこび」や「満足感」といった感情は比例する。

・世帯年収が七万五〇〇〇ドルを超えると、「よろこび」や「満足感」は頭打ちになる。

つまり、年収八〇〇万円と二〇〇〇万円では、「感情的な幸福感」はそれほど大きく変化しないということです。

「日本の企業は、外資系企業のように数千万円の報酬を払わないから優秀な人材が集まらない」という意見は、この調査結果を見るかぎり信頼できません。少なくとも世帯年収八〇〇万円を超えていれば、年収だけで会社を選ぶことはないでしょう。

僕に身近な例でいうと、二〇一八年にライフネット生命の社長に就任した森亮介君は、二〇一二年に転職してくるまでゴールドマン・サックス証券の投資銀行部門にいました。どう考えても、年収は三分の一以下に減ったでしょう。それでもネット生保のベンチャー企業に転職してくるのはなぜか。実は、これは先の行動経済学の理論でいえば、不思議でもなんでもありません。スタートアップやベンチャーのように、わくわくドキドキできる仕事で、思うぞんぶん自分の才能を発揮したいと考えるのは、むしろ人の本性にかなっているからです。ふつうに生活できる収入があれば、自分がおもしろいと思える仕事、意義を感じる仕事に就きたいと考えるのは森君だけではないでしょう。若くて才能にあふれていたらなおさらです。

魅力ある企業には、そういう人材が集まってきます。社員をつなぎとめる方法を考えるより、わくわくドキドキする仕事を考える。いまの日本企業の経営環境では、チャレンジ精神にあふれ、イノベーションを起こす人材が必要です。チャレンジ精神に乏しく、安定を望む社員ばかりが集まっても企業は成長しません。〝変態〟がたくさんいる会社のほうが、これからは強いのです。

早い納期を自分で設定する――拙速のすすめ

もう一つ重要な点は、現在のビジネス社会ではスピードある会社が勝つということです。工業社会では、不良率を下げることは企業の大きな価値でした。たしかに、事故を起こす自動車や火を吹く家電製品を販売するわけにはいきません。しかしＩＴ業界では、ソフトウェアの不具合を完全に潰さなくてもリリースすることが珍しくありません。「バグはユーザーが見つけて教えてくれる」というわけです。ユーザーのほうもそれは了解しているので、リリース直後は購入を避けて、バグが解消されてから買う人たちもいます。

労働生産性を上げるためには、まず仕事のスピードを重視する。孫子の兵法にもある「兵は拙速を尊ぶ」です。

たとえば、二人の部下に明日の会議で使う資料の作成を頼んだとします。Ａさんは午後の早い時間に持ってきました。しかし、必要最低限の要素を入れたシンプルなもので、しかも誤字が数カ所ありました。

一方、Ｂさんは翌日の会議が始まる直前に持ってきました。時間をかけただけあって完成度は高く、レイアウトや色使いにもこだわり、誤字もありません。

僕が上司なら、高く評価するのはＡさんです。

早く提出すれば、上司は間違いを指摘してやり直させることもできるし、その資料から会議の戦略を練ることもできます。誤字があっても、直す時間は十分にある。

Ｂさんの資料は完成度が高くても、「ギリギリまで時間をかけたのだからそれは当たり前」と判断します。もし誤りがあったら、修正する時間はない。そのリスクが考えられていません。上司にはその資料を見ながら、会議の戦略を練る時間がない。品質に難があっても、早いほうが助かります。

生産性の向上では、この「拙速は巧遅に勝る」を共通認識にすべきです。仕事が速ければ多少のミスは大目に見る。もちろん、それは程度問題で、箸にも棒にもかからないデタラメなアウトプットは論外です。

さらに実際に生産性を上げるために必要なのは、すべてをゼロクリアーで考えること。自分の頭で他人と違うことを発想しようと努めることが大切です。誰かの真似ではイノベーションは期待できません。職場のしきたり、業界の常識などはいったん完全に忘れ、根源的に考えていく。これに尽きます。

そして、納期を決めて守る。もしA案とB案で迷ったら、「明日の午前一〇時までに決める」とゴールを設定します。その時刻までに結論が出なければ、もう考えても意味がないのでコインを投げて表か裏かで決めればいいでしょう。

即断即決を習慣に

人間は賢くありませんから、未来のことを完璧にシミュレーションできません。偶然の出来事によって、思いがけない展開になるのがふつうです。歴史上の人物たちを見ても、思いがけない事態に陥り、偶然によって成功したり失敗したりするだけのことです。

Ａ案で失敗したらＢ案がある、ぐらいの気持ちでいいでしょう。「テスト&ラーン」の考え方です。

僕は昔から六割の成功で十分だと考えてきました。部下にも、日頃から「小さなことでもすぐ決断して、早く行動を起こしたほうがいい」と話してきました。人間は賢くないから、とりあえず「これだ」と思ったら、すぐに試すしかないのです。

その繰り返しによって、スピードは上がり、精度は高まります。限られた時間内でたくさんの仕事がこなせるようになる。腕組みして考えるばかりで走り出さない人は、いつまでもスピードが上がらないし、シミュレーションの精度も高まりません。長期的には、スピード型に必ず負けます。スピード型は余暇の時間がたっぷりあって、情報のインプットが多い。発想の豊かさでも勝ちます。

仕事のスピードアップを図るには、受け取ったメールに「イエスorノー」で一〇秒以内に返信する習慣を身につけたらどうでしょうか。「どんな文面で送ろうか」と考えない。即断即決のよい訓練になります。

個人の生産性向上は、そういう習慣化からはじまります。「自分の働き方は工業社会の価値観を引きずってるから、いくらでも改善の余地がある。伸びしろはでかい」と思えば、楽しく頑張れるのではないでしょうか。

第五章　移民を迎え入れた日本は強くなる

タフで優秀な人が移民になる

人口減少問題の対策として、移民の受け入れも有効です。少子化対策は出生率を上げることが第一、その次が移民の受け入れです。

なぜなら、人類の歴史には「移民を受け入れたら栄える」の法則があるからです。他国に比べて移民の割合が少ない日本は、ここにも大きな伸びしろがあります。

移民を受け入れたところが栄えるのは、もともと移民が強くて優秀な人たちだからです。

母国を離れると、それだけでも強いストレスを受けます。生まれ育った土地と気候や自然環境が違う。水や食べものが違って腸内細菌が驚く。言語の壁で情報量が減る。人間関係の取り方や生活習慣が違う。差別を受けるかもしれない。それでも外国に住む移民は、心身ともに丈夫な人たちで、新しい環境に適応できる賢さがあります。

辛抱強さもあるでしょう。日本人は海外旅行でも、英語や現地の言葉に疲れて、梅干しや蕎麦が食べたくなったり、日本酒が飲みたくなったりします。それが何年も何十年もつづくのです。

国内の転勤で、はじめての土地に住むのとはわけが違います。国内なら言葉の壁はないし、制度もだいたいわかるし、学校や病院のシステムも大きな違いはありません。その気になれば、飛行機や電車ですぐホームグラウンドに帰ってこられます。日本人が環境や文化のギャップを感じるとしたら、せいぜい転職したときぐらいでしょう。

移民を決意するだけでもタフなのに、移民先で何年も暮らし、成功したとなればかなり優秀だとわかります。

ラグビー日本代表が実証した多国籍チーム最強説

異なる文化で育った優秀な人材が集まれば、あちこちで新結合が起こり、おもしろいアイディアが生まれます。イノベーションによって生産性も上がり、儲け（付加価値）も増えます。もとから住んでいる人たちも、ぼやぼやしていたら競争に負けるので勉強して、真面目に働く。移民の刺激による社会全体の底上げが期待できるということです。

これがダイバーシティの効用です。

世界を見渡すと、移民を受け入れた町は大発展してきました。ロンドン、イスタンブール、ニューヨークなどが典型です。
一三世紀に世界帝国を築いたモンゴルは、まさにダイバーシティの先駆けでした。政府にはモンゴル人だけでなく、中国人、アラブ人、ペルシャ人などさまざまな国の出身者がいました。現在の中国に大元ウルスを建国したとき、首都の大都（現・北京）を創りあげた責任者は二人いて、そのうち一人はアラブ人でした。

モンゴル帝国では人材登用の際に、国籍や人種にこだわることなく、本人の能力を重視したからです。この多国籍な政権が、大帝国に発展した一因でした。

一三世紀末から二〇世紀初頭にかけて地中海世界で栄えたオスマン＝トルコも、政府の重職に外国人を起用していました。

もともと陸軍国だったオスマン朝は、コンスタンティノープル（現・イスタンブール）を陥落させてから海軍が必要になります。黒海と地中海を結ぶ航路を手に入れたからです。しかし、海軍をゼロから組織するのは大変です。だから、地中海にいた海賊たちを呼び集め、彼らを海軍としました。いまなら専門家集団をM＆Aするようなものです。実に賢い人材登用でした。

近年、ダイバーシティのすごさを日本中が目の当たりにしたのは「ラグビーワールドカップ二〇一九」でしょう。日本代表チームが勝ち進むたびに、全国的に盛り上がりました。あの頃、僕は講演で「みなさんは、ラグビーの日本チームが勝ち進んでうれしかったでしょう。もし日本人だけのいわゆる〝純血チーム〟にこだわっていたら、あんなに勝ち進んだと思いますか？」と会場のみなさんに質問しました。もちろん、「日本人だけのチームでも同じぐらい勝てた」と反論した人はいません。

あのとき代表メンバー三一人のうち、約半数は外国出身の選手でした。それでも日本代表として戦う姿に、みんな声援を送りました。

サッカーのほうでも、一九九八年のワールドカップで優勝したフランスのように、移民が中心の強豪チームはあります。日本の大相撲だって、いまや外国人がいない状況は想像できないでしょう。

スポーツの世界で多国籍の混成チームが強いのと同じで、市民も混成チームのほうが強くなるのです。

受け入れコストを軽減するには

ただし、そこまで期待できるのは、高い専門性をもつ優秀な移民の話です。

二〇一九年四月、外国人労働者を増やして人材不足を解消しようと、改正出入国管理法が施行されました。在留資格となる「特定技能」は、特定産業分野で発揮される知識や経験を要する技能のことだと説明されています。特定産業分野は現在は一二あって、①介護、②ビルクリーニング、③素形材産業機械電気電子情報関連製造業、④建設、⑤造船舶用工業、⑥自動車整備、⑦航空、⑧宿泊、⑨農業、⑩漁業、⑪飲食料品製造業、⑫外食業となっています。

人手不足が少しでも解消できて、産業界が助かるならいいでしょう。ただし、本当に専門的な技能をもつ人材が雇用され、その仕事に見合った高い給料をもらえるなら、という条件がつきます。

僕は移民歓迎といっても、稼ぐだけの目的でくる「チープレーバー」を大量に受け入れるのは賛成できません。低賃金の労働に従事させると、外国人労働者と日本人のお互いにとってマイナスだからです。

低賃金で過酷な労働を強いれば、職場でトラブルが発生しますし、職場以外のところでもさまざまな問題が起こります。

これまでも外国人のチープレーバーが多い地域で、日本人社会との軋轢《あつれき》は目立ちました。たとえば、ゴミ出しなど地域のルールが守れなかったり、病気になっても医療機関で意思疎通ができなかったり、子どもが学校で問題を起こしたりします。それは言葉や文化が違うのだから当然のことです。

本来なら彼らを雇っている会社が、社会のルールや日本文化についてしっかり教育すべきでしょう。家族も含めて、地域社会に溶け込めるように支援する。しかし、外国人労働者にそこまでコストをかける企業はありません。結果的に、社会がそのコストを負担することになるのです。

僕の大学でもそのコストは意識しています。

ＡＰＵは学生のほぼ半数が、海外からの留学生です。一〇〇を超える国や地域から集まってくるので、日本の文化や生活習慣を知らない学生が大多数です。そこで、一年生は必ず学内の寮に入ってもらうことになっています。

寮では日本人の学生と同室になることもあります。ＡＰＵには東京、大阪はじめ各地から日本人の学生も集まっています。

外国人留学生は、日本人のルームメイトやレジデント・アシスタントと呼ばれる先輩の学生から、日々の暮らしを通して日本の社会ルールや文化を学びます。挨拶やマナー、ゴミの出し方にはじまり、初詣やお盆、お祭りなど行事も一緒に体験します。風邪をひけば、病院へ同行して受診のしかたなどを教えます。

一年もたつ頃には、日本語が話せますし、別府の町に一人で出かけて買い物や食事ができるようになります。二年目から別府の町でアパートを借りて、一人住まいをはじめる学生もいます。

一年でそこまで日本社会に溶け込めるのも、ともに生活を送るルームメイトがいるからです。何回か研修を受けるのとは、学習の密度も頻度も違います。

これは大学の寮だからできることです。同室の日本人学生にとっても、英語を学んだり異文化に触れたりしながら、外国人と仲よくなれる。これは貴重な学習機会です。お互いにメリットがあるから、お金のやりとりがなくても成り立ちます。

外国人労働者の場合も、日本人の従業員としばらく同室で暮らせば、地域社会との軋轢は防げるかもしれません。彼らを雇う企業の経営者は、そのコストを意識してほしいものです。

ＡＰＵでも、二〇〇〇年の開校時には、不安に感じる地域住民の反対があったそうです。しかし寮の教育効果が絶大と認知されてからは、地域との軋轢はなくなりました。それどころか、地元への経済効果もあって、感謝の声も聞かれます。留学生の経済効果については、後ほど詳しく説明します。

体力があるうちに変革を

大量の移民を迎えるには、受け入れ側に体力がないと難しいのも事実です。必ず社会変革が伴うからです。それも、自分たちで積極的に変えていかなくてはならない。受け身の姿勢では、共倒れになります。

世界の歴史には、国が衰弱してもう体力がないのに、改革に踏み切って失敗した例もあります。人間の病気でも、衰弱しきってからの手術は危険が伴います。とくに高齢者の場合は、体力がないから手術を見合わせることはよくあります。

国の衰退と改革も、時間との競争です。国民に社会変革の意欲や覚悟があるうちに踏み切らないといけません。

たとえば、中国最後の王朝となった清は、アヘン戦争とアロー戦争に負けたあと、日本の明治維新を真似て改革に踏み切りました。その頃にはもう体力が残っていなかったので、思い切った改革ができないまま、王朝は滅びました。

反対にフランス革命は、国にまだ体力があるうちに旧体制が倒され、ナポレオン・ボナパルトという戦争と政治の天才も現れて、世界初のネーションステート（国民国家）建設に成功しました。日本の明治維新も、その後の発展を見ると、まだ体力があるうちに徳川幕府を倒し、新政府を樹立したといえるでしょう。

つまり、国に体力があったかどうかは結果から判断されるところもあります。移民の受け入れに伴う社会変革は、改革のスピードと国の体力が勝負どころです。

僕自身は、まだ日本には体力があると見ています。いまの若者はしっかりしているし、ＩＴを使いこなして社会と結びついている。大量の移民を迎えるための社会変革は十分にできるはずです。

「言葉の壁」の越え方

移民に日本文化を理解してもらうには、まず日本語をマスターしてもらうことが必要です。その国の文化は言葉と切り離しがたく、言葉をマスターしないで文化を深く理解することは難しいからです。

日本と同様に少子高齢化が深刻なドイツは、二〇一五年にシリア、イラク、アフガニスタンなどから一〇〇万人以上の難民を受け入れました。国の施策として、移民にはドイツ語とドイツ社会を学ぶプログラムが用意されています。

ドイツ語は、基本が六〇〇授業時間（一授業時間は四五分）。上達度によって四〇〇から九〇〇授業時間まで幅があり、日常生活に困らない程度を目標としています。子どもがいる親が受ける特別コースもあるそうです。

ドイツ社会についてのオリエンテーションは一〇〇授業時間です。ドイツの文化、歴史、法秩序などの基本的な知識を習得する内容です。

どちらも移民は一授業時間あたり二・二ユーロを負担します。六〇〇授業時間のドイツ語講座なら、一八万円ほどが自己負担となり、あとは政府の負担です。ドイツの政府はそれぐらい負担しても、ドイツ語とドイツ社会を学んでもらったほうがトータルでコストは安いと計算したのでしょう。言葉や文化の違いからたびたびトラブルが起こるより、そのほうが得だということです。

ドイツ語に比べたら日本語は難しいので、移民には一〇〇〇時間ほど日本語学習が必要かもしれません。毎日三時間ずつ勉強して一年ぐらいかかるということです。

外国人が漢字、ひらがな、カタカナを書けないと役所の窓口は対応に困ります。役所の職員を増やすより、移民に日本語をマスターしてもらったほうが汎用性があってコストも安上がりです。

チープレーバーが大量に入ってくると、一部の企業が助かるだけで、社会全体は比較にならないほど大きなコストを支払います。チープレーバーはものすごく高くつく人材だということです。

外国人労働者のほうも、日本に来てみたらずいぶん給料が安いと気づきます。母国の通貨で計算すると高給取りでも、日本の物価を考えたら、えらく低賃金だとわかります。日本人との給与格差も意識するでしょう。

そのうちに「自分たちはえらい搾取されとるやないか」と不満がふくらみます。そのうえ言葉や文化の壁で日本人との間でトラブルがつづいたら、出稼ぎにきたことを後悔するでしょう。日本と日本人に悪感情を抱くかもしれません。コストが高いうえに、お互いにマイナスが多く、日本が嫌いな人を増やして国際的に評判を落としかねない。大量のチープレーバーを受け入れることに賛成できない理由です。

留学生こそ最高の移民

外国人を大量に受け入れるなら、お互いにとって最もプラスになるのが学生です。大量の留学生を受け入れたら、そのなかに優秀な移民の候補たちがいると考えればいいでしょう。母国の文化と日本の文化を結合させられる留学生は、それだけでイノベーターに近いのです。

留学生で何より重視したいのは年齢です。

高校生なら一七歳前後、大学生なら一八歳から二二歳ぐらいを日本で過ごします。若いうちは脳みその学習機能が高いので、日本語をマスターする期間は短くてすみます。好奇心が豊かな時期だから積極的に日本のことを勉強するし、日本人の価値観を理解する柔軟性もある。新しいことを吸収するうえで、年齢というのは重要です。

多感な年頃ですから、日本が〝初恋のひと〟になるかもしれません。APUの学生を見ているとよくわかります。

留学生たちは生まれ育った母国の町と、別府の町しか知らないようなものです。大分県別府市は、たくさんの思い出がある〝第二のふるさと〟として特別な場所になる。

たとえばベトナムのハノイやホーチミンで、大分県出身の人たちが県人会を開いたら、ベトナム人のAPU卒業生が参加するということが起こります。厳密にいえば、大分県人ではないですが、別府が〝第二のふるさと〟ですから、本人は大分県人のつもりです。世界中でそういったことが起きているのも、一〇代で生まれ故郷を離れ、別府にきたからです。

APUを一〇年ほど前に卒業した元留学生が、ワインを持って僕を訪ねてきたことがあります。

「学長、こんにちは。APUが懐かしくて別府にきたついでに寄りました」

彼はアジア系で、いまはオーストラリアに住んでいるそうです。農業で大成功し、手土産のワインは彼のぶどう園でつくったものでした。農業で儲けたお金で不動産業に進出し、そちらでも成功していました。別府にきたのは、ビルを買うためでした。東京でビルを買い、別府に移動して不動産を見てまわったのです。

別府市内にビルを買っても、なかなか儲かるものではありません。優れた起業家の彼はわかっていたらしく、「東京のビルで儲けますから」と話していました。「損は承知のうえで買うとは酔狂やな」と思ったら、APUの後輩たちがベンチャー企業を興《おこ》すときのオフィスに使ってもらうつもりだというのです。その母校愛、後輩愛には感心しました。学生時代に過ごした別府への特別な思い入れもあるでしょう。

この卒業生に限った話ではありません。留学生を誘致すると、日本に還元してくれることもあります。優秀な若者を大切にして損はないと僕は考えています。とくに一〇代の頃というのが重要です。

日本にはじめてきたのが二〇代も半ばを過ぎた頃では様子が違います。人生経験がそれなりにあって、もう人間がスレている。はじめてのデートみたいなドキドキ感はなく、手を握ったぐらいでは感激しません。恋人に捨てられた経験もあるから、疑い深くてすぐにぞっこんとはなりません。

だから、感受性が豊かな一〇代で日本に来てもらうのが一番。留学生の一割でも二割でも、そのまま日本に残って就職してくれたら御《おん》の字《じ》です。優秀な同級生たちは、母国に帰って官僚になったり事業家になったりする。各国のエリートたちと個人的な交友関係があるのも強みです。

そのような学生たちが日本企業に就職し、日本に根をおろしてくれたら移民受け入れは成功だと思います。さらに日本で結婚して、子どもを産み育てるようになったら人口減少も食い止められます。

外国人が日本で赤ちゃんを産むことを考えるとき、よく思い出すのが日本生命に勤務していた時代に訪れた群馬県多野郡上野村でのエピソードです。上野村は群馬県内で最も人口密度が低い、過疎化が進んだ地域の一つです。一九八五年に日本航空一二三便が墜落した村として記憶している人もいるでしょう。前橋から車で二時間ほどかけて上野村に着くと、黒澤丈夫村長（当時）が迎えてくれました。

黒澤さんは、一九六五年から一〇期四〇年にわたって村長を務めた方です。僕は会話のなかで何気なく「これまで村長をやられて一番うれしかったことは何ですか？」と尋ねました。すると、黒澤さんは一瞬黙ったあと、「去年、村に赤ちゃんが二人生まれたことです。二人のフィリピン人のお母さんが産んでくれて。それが一番うれしかったですね」と涙ながらに語られました。

人口が二〇〇〇人に満たない上野村に、久しぶりに嫁いできたのはフィリピン人の女性で、元海軍少佐の黒澤さんは初め何か割り切れないものを感じたそうです。しかし、生まれてきた赤ちゃんを見たとたん、そんな気持ちは一瞬で吹き飛んだ。そして、このお母さんたちが「上野村に嫁いできてよかった」と心から思えるように政治を頑張ろうと決意されたというのです。

赤ちゃんが生まれることはそれだけで尊い。日本人や外国人という壁はありません。外国人留学生が日本に住み、結婚して赤ちゃんを産んでくれたら、多くの人がそう思うはずです。

日本はまだまだ留学生を増やせる

留学生の受け入れには、もう一つの側面があります。外貨を稼ぐ産業という面です。

世界で最も多く留学生を受け入れているのはアメリカです。ハーバード、MIT（マサチューセッツ工科大学）、UC（カリフォルニア大学）バークレー、スタンフォード、シカゴなどの有名大学をはじめとして、アメリカには世界中から一〇〇万人もの留学生が集まっているそうです。日本の大学は外国人留学生が最も多かった二〇一九年に三一万人ほどですから、アメリカはおよそ三倍です。

しかもアメリカの大学は授業料が高く、衣食住その他の費用を合わせると一人の留学生が年間に一〇〇〇万円ほど使っています。一〇〇万人が年間一〇〇〇万円ですから、留学生がアメリカにもたらす経済効果はおよそ一〇兆円です。

日本の輸出産業で一〇兆円の外貨を稼ぐといったら自動車産業ぐらいでしょう。日本の基幹産業に匹敵するぐらい、アメリカは留学生で稼いでいるということです。

コロナ禍の前、日本のインバウンド市場も一〇兆円は稼ぎませんでした。中国の富裕層が銀座のブランド・ショップで爆買いするといっても、二〇一九年に外国人観光客が日本で使ったお金は五兆円足らずです。日本もアメリカ並みに留学生で稼げたら、インバウンドの二倍ほど経済効果が期待できるということです。

アメリカの企業は一〇〇万人の留学生から、トップクラスの〝大変態〟たちを青田買いできます。もちろん、企業のほうから熱烈にラブコールし、新卒であろうと能力に応じて数千万円の年俸を用意します。期待どおりの成果を出して、二〇代で役員になる人も珍しくありません。シリコンバレーはそうやって留学生のトップクラスを採用してきたのです。日本企業の採用活動とは発想が違います。

コロナ禍のせいで、留学生の数は一時的に減りました。しかしウィズ・コロナ時代のニューノーマルが浸透すれば、世界中で留学生の数はすぐ元の水準に戻り、さらに増えていくと予想できます。

二〇〇〇年に世界中で外国の大学や大学院に留学した人は二〇〇万人規模でした。二〇一九年には六〇〇万人を超えています。この二〇年で世界の留学生は三倍になる勢いで増えてきたのです。

最も多くの留学生を出したのは中国です。いまや世界にいる留学生の二割近くが中国出身で、それにインド、ドイツ、韓国、フランスなどがつづきます。日本の留学生は、国際比較では四〇位近くまでランクが下がりました。

留学生を受け入れる側は、アメリカがおよそ二割、次いで連合王国、オーストラリア、フランス、ドイツなどがつづきます。日本は九位です。

アメリカ、連合王国、オーストラリアがトップ3なのは英語圏の強みがあります。非英語圏で比べても、日本はフランス、ドイツ、ロシアより留学生の受け入れは少数です。ここでも十分に伸びしろがあるということです。

ポテンシャルを秘めている日本の大学

世界中から一〇〇万人規模の留学生を集めて外貨を稼ぎ、トップクラスの優秀な人材は自国の企業に就職してもらう。日本の組織を変革し、画期的な製品やサービスを発想するイノベーション人材です。日本から第二のＧＡＦＡＭやユニコーン企業を生むには、留学生という移民を大量に呼び込むことが必要だと僕は考えています。

ヒト、モノ、カネのグローバル化が進めば、教育と採用にもグローバル競争が起こります。かつては国内だけで優秀な人材を取り合っていました。ライバル会社よりも多く、国内の有名大学で青田買いできれば、採用担当者は褒められました。いまは地球規模で、優秀な人材を取り合っている状況です。

まずは日本も、世界トップクラスの留学生を集めなくてはいけません。

日本のマスコミがよく取り上げる国際的な大学ランキングに、連合王国の教育専門誌『タイムズ・ハイヤー・エデュケーション（ＴＨＥ）』が毎年発表している世界大学ランキングがあります。二〇二二年版では、ベスト二〇はアメリカが一二校、連合王国が四校、中国が二校、スイスとカナダが一校ずつ。アメリカに世界中から留学生が集まるのは、それだけ大学の評価が高いからです。

　ベスト一〇〇で日本の大学は、東京大学が三五位、京都大学が六一位に入っているだけです。欧米の先進国に負けているだけでなく、アジアのなかでもトップではありません。第二章で説明したように、義務教育では世界トップクラスの日本が、大学になるとそれほどランキングを下げてしまうということです。

　しかしベスト一〇〇だけを見て、「日本の大学はレベルが低い」「第二のＧＡＦＡＭが出てこないはずだ」と考えるのは早合点というものです。僕に言わせると、日本の大学はレベルが高い。少なくとも、このランキングを一変させるポテンシャルはあると思います。

　世界には約二万三〇〇〇の大学があるといわれています。二〇二二年版の世界大学ランキングの対象となった大学は一六六二校。そのうち日本の大学は一一八校です。その数はアメリカに次ぎ、連合王国を上回っています。超Ａクラスは二校しかなくても、Ａクラス、Ｂクラスまで広げれば、世界トップ３に入るのが日本の大学だということです。

　この伸びしろは重要です。

世界中から優秀な留学生を集めることができれば、第二のＧＡＦＡＭやユニコーン企業が生まれるまでは一本道です。日本企業が一九八〇年代のように再び世界を席巻すれば、それでまた優秀な人材が集まってくる。うまくすれば、イノベーションを起こしつづける好循環に入る。その可能性を秘めた伸びしろです。

秋入学こそ勝利の一手

アメリカ並みに優秀な頭脳を集めるには、大学入試から根本的に見直す必要があります。「秋入学」と「英語入試」です。

学校の入学時期は、国によって異なります。世界を見渡すと、一年中どこかで入学式が開かれているようなものです。たとえば一月はシンガポール、一月末から二月初めはオーストラリアやニュージーランド、三月は韓国、四月は日本やパナマ、五月はタイ、六月はフィリピン……といった具合です。その国の気候や生活習慣、制度などの影響です。

そのなかで圧倒的に多いのは九月、一〇月の秋入学です。アメリカ、連合王国、フランス、カナダ、ベルギー、トルコ、モンゴル、ロシア、中国などがそうです。

ＴＨＥ世界大学ランキングの上位は、ほとんど米英の大学ですから秋入学です。秋入学の試験期間は五月、六月ですから、世界トップクラスの高校生たちはその頃にむけて勉強しています。試験の時期がズレている日本は、留学先の候補に入れてもらえません。
「秋入学の受験に失敗したら、来年二月に春入学の日本で受験しよう」という二段構えの発想もおそらくないでしょう。受験生の身になれば、年に二度も試験を受けるのは御免でしょう。受験生の家族だって大変です。

　このように日本の春入学は、世界から優秀な頭脳を集めるうえで足枷《あしかせ》になっています。

　しかも、その春入学にはあまり意味はありません。
「入学式は桜の季節でしょう」「日本の伝統ですから」という意見はよく聞かれます。その程度の理由だということです。

　日本の春入学は歴史が浅く、伝統と呼べるものではありません。江戸時代の藩校や寺子屋は、桜の季節にいっせいに入学式を開いていませんでした。

　現在のような学校制度がスタートしたのは明治時代で、学校は九月入学、九月はじまりでした。たとえば東京大学は、一八七七年（明治一〇）に開校し、九月はじまりでした（一八八六年に帝国大学、九七年に東京帝国大学となる）。明治の新政府は、英米仏独など欧米の学制を取り入れたのですから、九月はじまりが主流になって当然です。

四月はじまりは、高等師範学校が最初に導入したといわれます。その理由としては、徴兵対象者の届け出期日が九月一日から四月一日に変更された影響という説があります。軍隊に若者をとられる前に新入生を決める、という意図らしいです。そこから四月はじまりが徐々に広がり、東京帝国大学が四月はじまりに変更したのは一九二一年（大正一〇）です。「桜の季節に入学式」や合格電報の「サクラサク」が定着したのはそれ以降のことでしょう。

つまり、学校の四月はじまりに大した意味はなく、秋入学にしても困らないということです。

ちょっとシミュレーションすれば、むしろメリットが大きいことに気づきます。

春入学では、受験シーズンが一年で最も寒い二月です。真冬は受験生でなくても体力が落ちて風邪をひきやすく、インフルエンザが流行します。インフルエンザにかかって受験に失敗したという話も聞きますし、家族や学校など周囲も神経をつかいます。受験生のお父さんがインフルエンザにかかって、家族から隔離するためにしばらくホテルで闘病していたという話も聞きます。

大雪が降って交通機関が麻痺し、「受験生への配慮を」といったニュースも毎年のように聞かれます。どうして、わざわざ雪の季節に入試を実施するのかという疑問が浮かびます。

秋入学の入試は五月、六月ですから、梅雨の影響はあっても、季節性のインフルエンザや大雪の心配はありません。体力はあって、移動しやすい時期です。

秋入学になれば、年間の行事やイベントも変更することになります。たとえば高校野球の全国大会も、春休みと秋休みに開催すれば、熱中症を気にしながら炎天下の甲子園で試合をしなくてもいいでしょう。

ＡＰＵでは開校当時から、春入学と秋入学の両方を実施してきました。日本の高校生はほとんど春入学を選択し、留学生は大多数が六月受験の秋入学を選択します。

日本の大学が秋入学に変更するためには、高校、中学校、小学校も秋入学にする必要があります。企業のほうも、大学卒の新入社員は秋に迎えることになります。グローバル標準にいっせいに切り替えるわけです。

留学生は日本人の英語力も高める

ＡＰＵは英語入試も実施してきました。

世界中から優秀な頭脳を集めるには、六月の英語入試、秋入学に加えて、英語による講義を増やすことも重要です。留学生には日本語をマスターしてもらい、日本人の学生には英語力を高めてもらう。第二章でも説明したとおり、日本の大学生は入試時に最も英語力があり、在学中の四年間ですっかり衰えてしまうという話があります。楽天のように、社内公用語を英語にする会社はこれから増えるでしょう。大学の講義も、英語が中心になっていいと思います。

ＡＰＵで、ＴＯＥＩＣの成績が一年間で一六〇点もアップした日本人の学生がいました。九九〇点満点のＴＯＥＩＣで一六〇点アップは大したものですから、よく頑張ったと学内で表彰しました。その男子学生に「どうして、こんなに頑張れたんや」と尋ねたら、理由はとても単純でした。ＡＰＵに留学していた外国人の女性が好きになり、自分から想いを伝えて付き合いはじめたけど、英語が下手でコミュニケーションがうまくとれなかったそうです。そのうちに、留学生の男性に彼女をとられてしまった。彼は悲嘆にくれるなかで「これからは英語が話せないと、おいしい人生を送れない」と気づいて、必死に英語を頑張ったというのです。勉強には強い動機が必要だという好例です。彼のほかにも、外国人とデートしたいから英語を頑張っている日本人の学生はいるでしょう。キャンパスを歩く学生の半分が外国人なら、そういうことはあって当然です。

優秀な留学生を集めると、競争によって日本人の学力がアップするだけでなく、日常のコミュニケーションで英語力が自然とアップします。日常的な英語と異文化交流はグローバル人材の育成に大きな効果が期待できます。

人材と経済成長　プラスのスパイラル

しかしながら秋入学、英語入試、英語による講義など、学校側の改革が進めば、すぐに世界中から優秀な頭脳が集まり、日本企業でイノベーションが続出するほどグローバル社会は甘くありません。日本がもっと魅力的にならないと、優秀な高校生に「よし、日本の大学で勉強して、そのまま日本で働こう」とは思ってもらえないのです。

第一の魅力は、経済成長です。

アメリカに留学した中国人が三七万人（二〇一九年）いるとして、そのうちアメリカの企業に就職する中国人はほぼゼロです。アメリカ企業が熱心にスカウトしても、みんな中国に帰ってしまいます。

中国人の知り合いに「なぜ、みんな中国に帰るんやろ」と質問したら、「そりゃ、経済成長率が違うからに決まってますよ」と笑われました。アメリカで働くと給料が毎年三％ほど上がるのに対して、中国は二倍の六％ぐらい毎年増えると優秀な人材は計算します。二つの企業からスカウトされて、A社は毎年三％成長、B社は毎年六％成長だとしたら、どっちに就職したいかという比較と同じです。もしアメリカと中国の経済成長率が逆転したら、多くの中国人留学生がアメリカに残るはずです。

日本人が国内で進学するなら、大学の評価と経済成長は関係ありません。どんなに不景気の時代でも「東京大学が一番」という一般の評価は変わらないのです。しかし海外の優秀な高校生から見ると、「大学のランクが同じなら、経済成長している国がいい」となります。現地の企業に就職できる期待もありますし、学生生活も豊かな国のほうが楽しそうだと想像するでしょう。なにより、大学のキャンパスに優秀な学生がたくさんいそうです。

日本が世界トップの経済成長率なら、それだけで日本企業で働きたいと考える学生は増えます。日本企業に就職しやすい日本の大学に留学しようと考える高校生も増えるでしょう。

そのためには日本企業も旧態依然の組織から早く脱け出さないといけません。優秀な人材を集めるには、日本の経済成長率をもっと高めなくてはいけないと思います。もちろん、これはニワトリとタマゴの関係で、経済成長率を高めるには、世界中の優秀な人材を集めて、ダイバーシティの強みを発揮しなくてはいけません。その好循環にもっていく一点突破は、大学の秋入学と英語入試なのです。

第六章　女性が生きやすいと経済は成長する

「ものづくり大国」で生まれた歪み

これまで見てきたように、戦後の日本は「ものづくり大国」として成功し、高度成長期、バブル経済期を通してＧＤＰの世界シェアを拡大しました。日本の社会は、その過程で工場労働に適した「工業社会モデル」へ変容していきます。この過剰といえるほどの適応は、日本が工業大国ではなくなった現在も、強い影響を残しています。

日本が永遠にものづくり大国でいられないことは、バブル経済がはじまる前に予見されていました。技術開発力がよその国より劣る、という意味ではありません。原材料を輸入し、製品を輸出して儲ける、というビジネスモデルの限界が見えてきたのです。

それは世界経済の大きな流れですから、頑張って抵抗できるものではありません。

転機となったのは、一九八五年九月に開かれたＧ５（米、英、西独、仏、日）の蔵相・中央銀行総裁会議です。ここで「アメリカ経済がよくないのに日本はえらく儲けてるから、今後は円高・ドル安に誘導して調整しようやないの」と決めました。いわゆる「プラザ合意」です。

それから二年ほどで、一ドル二三五円から一ドル一二〇円になるまで円高ドル安が進みます。日本は輸出品の値段が高くなり、国際競争力がどんどん失われていきました。

堺屋太一さんの『知価革命』や前川春雄・元日銀総裁の「前川レポート」などでは、「日本はもう輸出型の製造業では食べていけなくなる。サービス業中心の産業構造にシフトしないとあかんよ」と提言されていました。

九〇年代になって日本がバブル崩壊後の長い不況を迎えると、一方でアジアの新興国が製造業の力をつけてきました。〝技術立国〟を誇っていた日本は、素早く戦略転換、構造転換ができず、半導体、電機、自動車などの得意分野で台湾、韓国、中国などの近隣国に追い上げられました。

日本は従来型のビジネスでは国際競争力を維持できない、という予測は現実のものとなります。それでも産業界は工業社会モデルを捨てきれず、社会構造も工業社会モデルに過剰適応したままでした。

八〇年代の日本は、第二次産業がＧＤＰのおよそ四割を占めていました。それがいまや製造業で働く人は全体の一五％ほどしかいません。工場の現場で働く人たちは、さらにその一部ということになります。

一方、八〇年代にＧＤＰの五割に満たなかったサービス業は、現在は七割を超えています。サービス業に従事する人もそれだけ増えました。

八〇年代に予測されたとおり、日本の産業構造は、輸出で儲ける製造業から、国内で消費されるサービス業へとシフトしています。しかし「三〇年かけてようやく」といったスピード感で、日本経済を牽引する新しいビジネスが次々と誕生したわけではありません。「本格的なベンチャー企業ブームが到来するか」と何度もいわれながら、ＧＡＦＡＭに匹敵するベンチャー企業は生まれていません。だから、〝失われた三〇年〟なのです。

産業界が素早く構造転換できなかったのは、過去の成功体験が大きすぎて、ものづくりで新興国に追いつかれるという事態が想像できなかったからです。ドラスティックな大転換を進めて失敗したら元も子もない、過去の成功分野で頑張ってきた社員たちをリストラできない、といった意識もあったでしょう。その結果、昔のビジネス観を引きずり、組織風土は旧態依然としたままでした。上司の価値観は時代の流れに追いつけず、会社優先の働き方が当たり前でした。

そのように職場も社会も工業社会モデルから脱け出せない状況は現在もつづいています。経済活動の実態はサービス業が多くを占めているにもかかわらず、価値観が工業社会モデルのままでは、あちこちで歪みが生じます。とくに若い世代はそういう矛盾に敏感ですから、やる気を失ったりメンタルヘルスを壊したりする人が出てきます。ITベンチャーなど一部の成長企業を除けば、大きな成功体験がないまま、三〇年が経過しました。

この歪みを直せば、日本は元気を取り戻せます。ここにも伸びしろがある、ということです。

サービス産業の主役は女性

日本以外の主要先進国も、九〇年代にほとんどサービス業モデルにシフトしました。アメリカ経済を牽引するGAFAMのプラットフォーム・ビジネスも、基本的にはサービス業です。

日本の伸びしろを生みだす「高学歴社会」「女性活躍」「ダイバーシティ」のなかで、サービス産業に深くかかわるのが「女性」です。

昔の工場労働は、男性は部品を取り付けたりボルトを締めたりといった力仕事が中心、女性は縫製や検査など力仕事以外が中心と、性別による役割の違いが見られました。製造現場の機械化が進んだ現在は、男性職場、女性職場の区別は以前ほど目立たなくなりました。

サービス産業は、一部の力仕事を除けば、本来は性別の違いが業務に影響しないはずです。パソコンで進める仕事も、セールスや接客も、基本的に性差が成果の違いにつながりません。

しかしサービス産業をよく観察すると、「これは女性のほうが圧倒的に向いてるな」「女性のほうが高い成果を出しそうだ」と感じる業種業態はいくらでもあります。

第一に「消費の主役は女性」という現実に目を向ければ、供給サイドも女性が主役になって不思議ではありません。

日本のGDPは、個人消費が六割近くを占めています。「景気を左右するのは個人消費」といわれるように、個人消費が増えれば景気がよくなり、日本経済が成長する可能性も高まります。

女性が個人消費の主役であるのは、日本だけではありません。サービス産業の顧客は六割、七割が女性というのは、世界的に共通することです。

デパートへ出かけてみれば、一目瞭然です。伊勢丹でも三越でも高島屋でも、一階などの出入り口にあたるところは、たいてい化粧品、バッグ、財布など女性向けの商品が並んでいます。

大切な入り口のフロアに、紳士服やひげ剃りなどを売っているデパートは見たことがありません。そんな店舗をつくったら、紳士服店と勘違いされて女性客の足が遠のいてしまうでしょう。

デパートのなかにあるレストランや喫茶店を覗《のぞ》いても、年齢にかかわりなく、女性グループが目立ちます。おじさんグループが入りにくいほどおしゃれな店が多いのも、女性がメインターゲットだからでしょう。

飲食、ファッション、美容、健康、旅行、エンターテイメントなど、サービス業の大きな市場でお得意様といえば女性です。エステサロン、ネイルサロン、ホットヨガなどは、男性客がほとんどいない消費分野です。

日本経済を支えている個人消費は、女性が主役という事実に目を向ければ、日本経済をよくする方法はいくつも考えられそうです。まずは「女性の消費をさらに増やすにはどうすればいいか？」という課題設定です。そこからビジネスの発想や組織のあり方を見つめ直してみましょう。

おじさんたちが考えても正解にたどり着けない

女性の消費を増やすには、女性が利用したい、買いたいと思う魅力的なサービスや製品を提供することです。とくに、購買力がある働く女性たちに好かれることは重要です。

働く女性が好きなサービスや製品は、誰が開発すればヒットするかといえば、働く女性たちに決まっています。商品開発の世界では、大ヒットで知られる女性のマーケターが何人もいます。iモード（NTTドコモ）、エキュート（JR東日本ステーションリテイリング）、新型「ノート」（日産自動車）、アサヒ黒生（アサヒビール）などはいずれも女性が企画してヒットした商品です。

働く女性が買いたくなる商品のアイディアは、おじさんたちが集まって話し合っても出てきそうにありません。とくに、夜遅くまで残業して赤ちょうちんで一杯ひっかけて帰る会社人間のおじさんには、かなりハードルが高いでしょう。似たような的はずれな会議は、実際によく開かれているから笑えません。

ある出版社で契約社員として働く女性から聞いた話です。彼女は小さな子どもがいる三

○代の女性で、雑誌の編集部に所属していました。

ある日、残業していたら、会議室のほうから話し声が聞こえてきたそうです。話の内容から、それが経営陣であることはすぐにわかりました。主力のビジネス誌が以前ほど売れなくなったので、その対策を話し合うために集まっていたのです。

「これからは女性が買ってくれないと、現在の販売部数を維持できない」

「働く女性たちは、ビジネス情報を求めてるよ」

「どんな企画なら買ってもらえるだろうか」

有効な対策は、女性読者を増やすことだという結論に至ったようです。それなら、どうすれば女性読者を増やせるかと経営陣は真面目に議論していました。

しかし、同社の経営陣はみんな男性。おじさんたちが「女性読者を獲得するにはどうすればいいか」と思いつくまま話し合っているのです。経営幹部ですから、一人当たりの時給は三万円ぐらいでしょう。七人集まれば一時間あたり二一万円です。

彼女は考えたそうです。私にその一割をくれたら、働く女性の友だちを四、五人集めて、ランチをご馳走するかわりにいろいろアイディアをもらうのに、と。「うちのおじさんたちは、なんて愚かなんだろう」と呆れたというのです。

この経営陣には、「自分たちが話し合っても、女性に響く企画は出てこないやろ」という冷静な判断が欠けていたようです。雑誌事業のベテランが集まれば、それぐらい簡単なことだと甘く見ていたのかもしれません。

「働く女性はこんな特集記事に飛びつく！」と、おじさんが自信満々でプレゼンしたら、それだけで痛々しさが漂います。これまで男性向けビジネス誌として読者を獲得できたのは、おじさんたちが企画を出していたからだという事実にも気づいていないようです。

これは〝需給のマッチング〟というものです。商品企画は、メインユーザーに近い人たちの意見を参考にしたほうがヒットを狙いやすい。そんな単純なこともわからない経営陣はたくさんいます。「ひょっとして自分の存在価値が小さくなることを恐れているの？」と勘ぐられてもおかしくありません。

女性が活躍するとなぜ経済は成長するのか

ヨーロッパでは、企業にクオータ制を導入し、男女格差を是正しようという動きがあります。クオータ制とは、政治の場や企業で、ある属性の人たちが一定割合を占めるようにする割当制のことです。ＥＵ議会では、域内の上場企業に女性役員の割合を増やすように義務づける法案で大筋合意し、二〇二六年半ばまでに社外取締役で四〇％以上かすべての取締役で三三％以上という目標を掲げました。

また二〇一九年七月には、男女間の雇用格差を是正して、生活の質的向上をめざすワーク・ライフ・バランスの新指令も出しています。ＥＵ各国でも、労働市場への参画率は女性のほうが低いからです。雇用機会や処遇に見られる不平等をなくし、女性のキャリアアップをサポートしていく取り組みです。

この新指令では、男性がもっと家族の世話に努めることを奨励しています。従来の育児休業は、両親に最低四カ月ずつ与えられ、両親とも最低一カ月間は取得し、あとは譲り合うことができました。そのため、夫の育児休業は一カ月、妻のほうは七カ月以上という家庭がありました。新指令では、両親に最低四カ月ずつという点は同じで、譲り合えるのが二カ月となりました。夫のほうが働く家庭でも、最低二カ月は夫も育児休業を取得するようになったのです。

これらの施策は、女性が活躍するほど、経済成長が期待できるという考えに基づいています。人生にアグレッシブで有能な女性が活躍する場が多ければ、個人消費を支える女性市場は活性化する。経済成長率が高まって社会は豊かになる。自社の儲けを増やしたければ、おじさん役員が集まって会議するより、女性を集めて会議させるべきでしょう。

社内の優秀な女性たちが活躍したら、人事評価や処遇も見直す必要があります。高い成果を出す女性たちのうえで、おじさんたちがあぐらをかいてはいけません。それでは『女工哀史』のような搾取構造です。

高い成果を出した女性は、どんどん出世して給料が増える。入社時の成績を考えれば、同期のなかで出世頭が女性になるのは当然のことです。

世界経済フォーラムの「ジェンダーギャップ指数」を見るとわかるように、日本は先進国のなかでずいぶん後れをとっています。学生時代はほぼ男女が同等なのに、社会に出たとたんに政治でも経済でも女性の実力が発揮されなくなる。大学受験や入社試験で成績順に並べたら上位は女性ばかりなのに、会社で数年働くうちに能力を発揮する機会が失われる。これは実にもったいない。

G7のなかで、男女間の賃金格差が最も大きいのは日本です。難易度が高い重要な仕事を任せ、高い成果を出したら相応の給料を出す。働く女性の収入が増えれば、個人消費も増えて景気はよくなるでしょう。お金のまわりがいい状態を「景気がいい」と呼ぶのですから、買いたいものがたくさんある人の収入を増やしたほうが、まわりまわって企業も儲かります。

どちらかといえば専業主夫がいい

サービス業モデルの社会で、男女の性役割を考えるなら、専業主婦より専業主夫のほうが、経済的には効率がいいかもしれません。マーケットをよく知る奥さんが外でバリバリ働く。女性差別がない成果主義の社会なら、奥さんのほうが稼ぎは多くなって当然です。旦那さんは、肩身が狭い思いなどしなくて大丈夫です。ビジネスはすべてマーケット次第です。

家庭内も基本は男女平等ですから、家の外で収入を得るのも、家事・育児・介護など家のことも男女で等しく分担すべきでしょう。しかし、もしもどちらか一方がハウスキーパーを専任する必要が出てきたら、稼ぎの少ない旦那さんが専業主夫になるほうが経済的には楽かもしれない、という話です。

かつて女性たちが「将来の夢は、三食昼寝つきの専業主婦」と言ったのは、工業社会モデルに適応していたからです。同様に、サービス業モデルに適応した男性が「将来の夢は、三食昼寝つきの専業主夫」と言い出してもおかしくありません。目端の利く男性が、出世しそうな女性をつかまえて玉《たま》の輿《こし》に乗ることも起こりそうです。

それは極端な話としても、現在の日本では、夫婦ともに働いて稼ぐことが理想的であることは間違いありません。工業社会モデルを引きずって旦那さんだけが働き、奥さんが家にいるというのは、社会にとっても損失だということです。

同様に会社内でも、役員と管理職は男女半々というのが理想です。そのうちクオータ制のように、男女半々の組織体制を実践して急成長する企業が出てくるでしょう。成功事例がいくつか出て、先進企業がメディアでたびたび紹介されたら、「そうか、男女半々は儲かるのか」と他社も真似して、それが当たり前になるはずです。昔の工業社会モデルが全国に広がった時代と同じです。

まずは顧客やユーザーのほとんどが女性という企業から「男女半々制」にトライしてみてはどうでしょうか。成功事例が早く出てくることを期待しています。

新型コロナウイルス感染症の流行が広がった時期、明確な対策と説明で国民を安心させた女性のリーダーが目立ちました。ドイツのメルケル前首相、ニュージーランドのアーダーン首相、フィンランドのマリン首相、スウェーデンのアンデション前首相、台湾の蔡英文総統……。彼女たちはもちろん、新型コロナが流行する前から指導的な役割を果たしてきました。

三〇年前に、女性リーダーがこれほど増えると予想した人はいなかったでしょう。人間の社会は、短期間にいくらでも変化できるということです。

日本はまだ女性の首相が誕生していません。大臣や都道府県知事でようやく女性の活躍が目立ってきた程度と、先進国のなかではずいぶん出遅れました。しかし裏返せば、そこが伸びしろです。「社会活動はすべて男女半々」ぐらいの大胆なクオータ制を導入し、一気に挽回すればいいだけのことです。日本人は「これがニューノーマルやで」と具体的に示せば、「よっしゃ、それでいこう」といっせいに動き出します。道行く人がみんなマスクをかけ、夜の街から遠ざかったのと同じです。

税金と年金の制度も見直そう

第三章で解説した夫婦別姓は、女性が社会で活躍するうえでも不可欠です。

同様に法整備では、税金の配偶者控除を見直す必要があります。配偶者控除は、納税者本人の合計所得金額が一〇〇〇万円以下の場合、納税者本人の基礎控除に加えて、正式な配偶者がいれば税金が控除される制度です。その配偶者は、本人と同じ財布から生計を立て、年間の所得金額が給与だけなら一〇三万円以下、それ以外では合計四八万円以下であることが条件となっています。

そのため、年間の給与が計一〇三万円を超えないように、働くことを控えているパートタイマーの奥さんたちがいます。このような、専業主婦に近いパートタイマーに女性を縛りつける制度はアメリカ、連合王国、ドイツ、フランスなどには見られません。

同様に、国民年金の第三号被保険者も、専業主婦を対象とするものです。二〇歳から五九歳までの人が加入する国民年金は、第一号から第三号まで三種類の被保険者に分類されます。

第一号被保険者は、農業や自営業の人とその家族、学生、無職の人たち。第二号被保険者は、会社員や公務員で厚生年金、共済組合に加入している人たち。第三号被保険者は、第二号被保険者に扶養されている二〇歳から五九歳までの専業主婦や専業主夫です。

この第三号被保険者は、配偶者が厚生年金、共済組合を通して基礎年金拠出金を負担しているため、自分で保険料を納付する必要がありません。

配偶者控除と第三号被保険者は、専業主婦、専業主夫になるように誘導するような制度です。男女ともバリバリ働き、税金や年金をガンガン納めたほうが、本人たちにとっても、日本の社会にとってもいいはずなのに、なぜか「結婚したら、どちらか一方が家に入ったほうが得やで」と勧めている。これはあきらかに工業社会モデルの発想です。

厚生労働省が「モデル年金」と呼んできた標準的な世帯も、夫が入社から定年まで平均月収四三・九万円、妻は二〇歳から六〇歳までずっと専業主婦だった家庭です。それで老後の資金はいくら必要だと計算する。専業主婦が前提とされるのは、家制度や工業社会モデルの影響としか考えられません。

夫婦別姓にして家制度の意識と職場の男女差別をなくし、配偶者控除と第三号被保険者を撤廃して専業主婦、専業主夫への誘導をなくす。日本が本格的な女性活躍をめざすなら、ここから改革を進めるべきでしょう。

第七章　社会保障改革という伸びしろ

「若者が老人を支える」が合理的でハッピーだった時代

戦後の復興期から高度成長期にかけての日本は、人口増加を背景に働く人がどんどん増えました。毎年七％前後の経済成長をつづけた時期もあります。経済が成長しつづければ、仕事が増えます。たとえば三〇〇〇人の企業なら、毎年二〇〇人ほど新卒社員を採用する必要があったということです。

皆保険、皆年金のしくみは、一九六一年に制度の骨格が完成しました。当時、男性の平均寿命は六五歳前後。年金をもらう期間は、定年退職してから亡くなるまでの一〇年ほどでした。人口比率でいえば、一一人の現役世代で一人の高齢者を支えていた計算です。つまり「サッカーチーム一つ分の現役世代が、一人の高齢者を一〇年間ほど支える」というモデルだったのです。

これなら現役世代の負担感は大きくありません。しかも、給料が毎年アップしていた時期です。自分もそのうち支えてもらう側になるのだから、お互い様だと考えることができました。

このモデルはいわば「ヤング・サポーティング・オールド」です。これは当時の高齢人口と生産年齢人口の比率、人口増加、経済成長などの諸条件を前提に成り立っていました。現役世代のほうも、先輩たちがずっと会社にいるより、ある年齢で退職してもらったほうが〝老害〟を防げます。「公的年金や企業年金で経済的に支えてあげますから、リタイア後は悠々自適の暮らしを送ってくださいね」というわけです。これはこれで、お互いにハッピーでした。

この「ヤング・サポーティング・オールド」は、当時の経済状況を考えると、きわめて合理的でした。

そのような背景を知らずに「若者が高齢者の面倒を見るのは、儒教道徳の影響だから理不尽だ」と主張するのはまるで見当違いです。ちなみに、孔子が長幼の序を説いた紀元前五〇〇年頃の中国は、人類史上で最高レベルの高度成長期でした。その当時としては、とても合理的な思想だったのです。

問題なのは、その諸条件が満たせなくなった現在も「ヤング・サポーティング・オールド」を維持している点です。

人口増加、高度成長、平均寿命が短いなどの諸条件がそろわなければ、このしくみは成り立ちません。いま企業内で新卒一括採用、年功序列、終身雇用、定年制度などがもはや成り立たないのと同じです。

世界で最も高齢化が進んだ日本は、本来ならもっともっと経済を成長させなくてはいけない国です。「日本はもう十分に豊かだから経済成長は必要ない」「成長率より国民の幸福度指数を第一に」などの意見は、財政の現状を無視した暴論です。

日本の社会は、現在の豊かさを維持していくだけでも、国際競争力を高め、経済成長をつづけなくてはいけません。

そう考えて必死に高い成長率をめざしてきたのに、現在は一％を切っているのが実情です。「経済成長はもう必要ない」と考えるようになったら、日本はマイナス成長がつづく〝昔は経済大国だったジリ貧の国〟になるでしょう。

経済成長の前提となる人口増加は、現在の日本では、今までと同じやり方ではあまり期待できません。

世界保健機関（ＷＨＯ）では、高齢者は六五歳以上と定義されています。日本では総人口一億二五〇〇万人のうち、六五歳以上はおよそ三六〇〇万人です。総人口に占める割合は約二九％ですから、四分の一以上が高齢者ということになります。

先進諸国の高齢化率を比較すると、日本は一九九〇年代まではほぼ真ん中のレベルでした。それが二〇〇五年には世界最高レベルに達します。赤ちゃんが生まれない、平均寿命が延びる、という二つのことが同時に進行した「少子高齢化」です。これは現在もつづいています。

かつては「サッカーチーム」で一人の高齢者を支えていたのが、やがて「騎馬戦」になるほど人口構成は変化し、いまや「肩車」になりつつあります。しかも高齢者を支える期間は、一〇年ぐらいから二〇年以上に延びました。皆保険、皆年金の制度ができた頃と、若い世代の負担感はまるで違うことがわかるでしょう。

「小負担・中給付」は矛盾している

「いまの高齢者は、社会保障が手厚すぎる。公的年金、企業年金を合わせたら、現役世代より収入が多いこともある。だから、年金や医療費補助は少し減らしたらどうか」という意見を聞くことがあります。しかし高齢者の暮らしは、お金が想像以上にかかるものです。たとえば、年齢を重ねると身体のあちこちに故障が出て、病院に通う頻度が増えます。

若ければ徒歩や自転車の距離でも、病院へ通うのにタクシーを呼ばなくてはいけない高齢者もいます。

食費も若い頃よりかかります。これは僕も実感することで、若い頃は牛丼、カレー、ハンバーガー、ラーメンなどを毎日食べても平気だったのが、七〇代八〇代になると脂っこい食べものは敬遠したくなります。魚などの和食が中心の食生活は、牛丼やハンバーガーほど低コストになりません。最近のコンビニ弁当はずいぶんおいしいですけれど、胃腸への負担が少ないものを求めると、どうしても食費は若い頃より高くなります。「年金暮らしだから節約したい」と考えても、出費は意外とかさむという人は少なくないでしょう。経済的に余裕がある高齢者ばかりではない、ということです。

世界一の高齢化社会では年金、医療、介護などの社会保障費が増えるのは当然です。その主な原資は、言うまでもなく税金です。

国民が納める税金や社会保険料を「負担」、社会保障の支出を「給付」と呼びます。日本は長らく「小負担・中給付」をつづけてきました。諸外国との比較でいえば、国民の負担はＯＥＣＤの平均より低いので「小負担」、給付のほうは平均よりも少し高いから「中給付」です。

本来なら、負担と給付はイコールでなければいけません。税金で集めた額だけを支出する、あるいは、支出に必要な額を税金で集める。これが負担と給付の正しいかたちです。しかし日本は、税金で集めた額より多くのお金を社会保障に費やしてきました。

この「小負担・中給付」が可能だったのは、実質七%の経済成長が三〇年以上もつづいたおかげです。

七%成長が一〇年つづけば、経済規模はおよそ二倍になります。その間に税収のほうも自然に倍増する、という見込みが立ちました。

現在のような低成長時代に、この理屈は成り立ちません。給付が負担より多ければ、当然マイナスになる。そのマイナス分は、国債の発行によって穴埋めしてきました。要は、借金しながら「小負担・中給付」を維持してきたわけです。

他の先進国を見ると、各国とも「負担額＝給付額」の原則にしたがい、社会保障の支出を増やす場合は、税金も同じだけ増やしています。先進国のなかで、過去二〇年に負担を減らしたのは日本だけです。その一方で、社会保障のほうは増やしてきました。

このような「小負担・中給付」は、サステイナブルとは言いがたい構図です。収入より支出が多い状況をいつまでもつづけられない。日本の年金問題は、ここに根っこがあります。

仮に日本が負担と給付を同レベルにそろえるとしても、スウェーデンなどの北欧諸国みたいな「大負担・大給付」はいきなり導入できません。「小負担・小給付」にするか、「中負担・中給付」にするか、いずれか一方を選択するのが現実的です。

現在の日本で、政府が「今後は税収に合わせて、社会保障を減らすので、みなさんはもっと節約して、生活水準を下げるように励んでください」と言いだしたら支持されるはずがありません。そんなことを実施すれば、生活に窮する高齢者が全国にあふれます。

そうなると、「中負担・中給付」を選択するほかありません。給付のほうは現状の水準で据え置き、税金や社会保険料の負担を増やすのです。

また、社会保障のために国債を発行しつづけるのは、子の世代、孫の世代に負担を押しつけることになります。生まれた瞬間から高齢者を肩車し、負担を押しつけられたら、未来の日本人はたまったものではありません。同じ敗戦国でもコロナ以前のドイツがほとんど借金ゼロなのは見ならうべきです。

アルバイトやパートタイマーに厚生年金を

日本の社会保障には、ほかにも問題があります。アルバイトなど社会的に立場の弱い人が、国民年金に追いやられている点です。

公的年金制度には、国民年金と厚生年金の二種類があり、二〇歳以上の人はどちらかに加入しています。国民年金は「基礎年金」とも呼ばれ、主に自営業者のためにある年金です。たとえば、八百屋のおじさんや魚屋のおばさんは、いまなら八〇歳を超えても元気に店番ぐらいはできます。子どもがいれば、お小遣いをもらえて生活に困窮することはないはずだ、という考えのもとに月額で六万五〇〇〇円ぐらい支給されています。定年退職はなく、元気であれば仕事があり、お小遣いをもらえるというのが前提条件だから、その金額なのです。

一方の厚生年金は、国民年金に上乗せされる被雇用者の年金です。一般的な会社員は、毎月の給料から厚生年金保険料を天引きされ、同じ額を会社も負担しています。これは定年退職を迎えたら、毎月の収入がなくなるから、すぐに生活に困窮するだろう、という考えのもとに、現在は平均すると毎月一五万円ほど支給されています。

問題は、アルバイトやパートの非正規社員が、国民年金になっていることです。平成の約三〇年間で、非正規社員の割合は二割ほどから四割近くまで増えました。現在、日本の被雇用者は五七〇〇万人ほどいて、そのうち二一〇〇万人が非正規社員です。

非正規雇用の人たちは、正社員より低い給料で働きつづけ、おそらく貯金も正社員よりずっと少ないでしょう。退職金も基本的にありません。正社員と同じ社内で働きながら、非正規社員はずっと自営業者と同じ扱いだったわけです。自営業者なら商売がうまくいけば、大きく儲けられる時期もあるでしょう。しかし会社で働く非正規社員にそのチャンスはありません。

健康であれば、六〇歳を超えて働きつづけるのはいいことですけれど、非正規雇用の仕事を探しつづけるのは厳しい。おそらく、子どもからお小遣いをもらうこともないでしょう。

この問題を解決するには、厚生年金と健康保険の適用拡大しかないと僕は考えています。非正規社員にも厚生年金を適用し、セーフティネットを強化する。これによって、社会保障の格差を是正できるはずです。

現行の制度では、厚生年金が適用されるのは、原則として労働が週三〇時間以上という条件があります。現在は五〇〇人超の事業所で、週二〇時間以上、月額賃金八八〇〇〇円以上などの要件を満たせば被保険者となります。この労働時間を基準にする考え方が不適切で、現在の働き方改革では、時間ではなく、仕事の成果で評価する方向に舵《かじ》が切られています。

そうであれば、勤務時間にかかわらず、すべての雇用者に厚生年金を適用することが、長時間労働をひたすらに尊ぶ日本の悪しき労働慣行（働き方）を改革する起爆剤になりうると思います。

政府の試算によれば、厚生年金を一定の賃金収入（月に五・八万円以上）があるすべての雇用者（約一〇五〇万人）に適用拡大した場合、公的年金の財政が改善し、安定に向かうことが確認されています。このような改正によって、アルバイトやパートタイマーのほとんどが厚生年金でカバーできます。

第六章で述べたように、国民年金のなかで、主に専業主婦が対象となっている第三号被保険者も悪しき制度の一つです。主に自営業者が対象の第一号被保険者、現在は正規社員が対象の第二号被保険者と違って、第三号には本人負担がありません。通常は健康保険の被扶養者ですから、健康保険料も年金積立も、配偶者が払っていることになっているからです。「専業主婦になったら得するで」とすすめるような制度です。

厚生年金と健康保険の適用拡大が実施されたら、この第三号被保険者の問題も、自《おの》ずと収束に向かうことが期待されます。

正規・非正規の壁が低くなれば、人材流動化も進みます。たとえば、現在はサラリーパーソンが会社を辞めたら、厚生年金から国民年金に切り替えなければいけないのが面倒です。でも適用拡大が実施されたら、会社を辞めたあともアルバイトやパートで働けば厚生年金が途切れないので心配はいりません。これは働きつづけるインセンティブになります。

ゾンビ企業を退場させたドイツ首相の決断

「適用拡大などしたら、企業のほうは保険料負担が増えるから、たまったものではない」

厚生年金の適用拡大の話になると、そのような意見が決まって出てきます。これまで適用拡大が実現しなかった理由も、中小企業の経営者などから猛反発があったからです。

これは痛みが伴う大改革だと認識してほしいところです。企業の保険料負担が増えることで、実質的には経営が成り立っていないのに、金融機関などの資金援助で存続しているゾンビ企業が退場を余儀なくされます。それによって、日本経済の足腰は強くなるのです。

ドイツでは二〇〇〇年にシュレーダー政権下で適用拡大に踏み切りました。もちろん、中小企業の経営者たちは大反対しました。しかし、ゲアハルト・シュレーダー首相はこう言い切りました。

「世界ではじめて社会保険を制度化したビスマルクは、誰かを雇用するとは『その従業員の人生に責任をもつことだ』と言っている。だから社会保険料を払えない企業は、そもそも従業員を雇う資格がない」

一九世紀後半に「鉄血宰相」と呼ばれたオットー・フォン・ビスマルクは現在も尊敬されているので、彼の名を出されたら経営者たちは黙るしかありません。すると、こんどは泣き落としに転じて「アルバイトやパートに社会保険料を負担させるのはかわいそうだ」と主張しました。これに対してシュレーダー首相は「それなら会社が一〇割負担すればええやろ」と応じたのです。

シュレーダー首相は、適用拡大を導入したあと、産業界の反発が強くて政権を失います。彼のあと首相となったアンゲラ・メルケルは、シュレーダーの適用拡大には反対を表明していました。彼女は「私は彼とは政治家としての考え方が一八〇度違うけれど、シュレーダーという政治家はたいへん尊敬している。その彼が、政治生命を賭けて法律を通した適用拡大には、指一本触れるつもりはありません」と言ってのけ、制度撤廃を期待していた経営者たちを唖然とさせました。メルケル首相にも引き継がれた適用拡大によって、ドイツ経済の足腰が強くなったことは間違いありません。

適用拡大が導入されると、社会保険料を負担できない企業は潰れます。それは、ビスマルクが言ったように、従業員を雇う資格がないのに生き延びていたゾンビ企業です。彼らは製品やサービスを値下げし、給料を下げることでしか延命できない。そんなゾンビ企業が次々と退場すれば、経済が強くなるのは当然です。

日本でも適用拡大を推し進めることで労働者は守られ、働き方改革がめざす同一労働同一賃金に近くなります。ジョブ型雇用への移行も明確になるでしょう。

経営者は、労働者を安価な労働力と見るのではなく、貴重な人材として活用しなくてはいけません。適用拡大は、一石五鳥ぐらい各方面にメリットを生む一点突破の秘策なのです。

今の日本は若者がチャレンジしやすい

現在の高齢者は、だいたい支払った年金保険料の四倍ほど、公的年金を受け取っている計算です。ところが、いまの若い世代は、支払った年金保険料の二倍を受け取れるかどうかという見方があります。それどころか、年金制度そのものが崩壊するかもしれない、と心配する人までいます。

このような公的年金は、日本社会の一大不安要因になっています。財政の累積赤字は一二〇〇兆円を超え、このままでは政府が破綻するのではないか、とくに公的年金が破綻してしまうのではないか……という不安が高まっています。

マスコミも公的年金の破綻の可能性をたびたび取り上げ、経済の専門家でも警鐘を鳴らす人はいます。若い世代が「将来、年金をもらえそうもない」と不安を抱えるのは当然です。

日本の年金制度が完全になくなったら大ごとです。そこまで日本経済が悪化すれば、大手企業やメガバンクも破綻しているはずです。

それでも「将来、戻ってきそうもないから払わない」という若者がいるのは困ったことです。年金保険料を払わない人が増えると、不安感はますます広がります。親世代は悠々自適の老後を送っているのに、子どもたちは老後が心配でならない……という状況は健全とはいえません。若い世代の不公平感がふくらめば、一生懸命に働いて税金や年金保険料をたくさん納めよう、という意欲がそがれてしまいます。

人口減少は、なんとしても食い止めなくてはいけません。しかし見方を変えたら、若者にとって人口減少は悪いことばかりではないのも事実です。同世代間の競争が激しくない、希少価値がある、というのは明らかにメリットです。

若者にとって最も悲惨な状況は、人口ピラミッドのなかで若年人口が極端にふくらむ「ユースバルジ」です。

若年人口が増えても、日本の高度成長期のように、仕事も同時に増えれば問題ありません。しかし、経済が成長しなければ雇用機会が限られ、職を求める若者たちの競争は激化します。そして負け組は、失業者となって街にあふれます。もともとエネルギーがありあまる若者がフラストレーションを爆発させたら社会は大きく乱れます。

ユースバルジは、人類の歴史にたびたび起きています。中世ヨーロッパでいえば、キリスト教国から中東へ繰り返し十字軍が派遣されたのも、若年人口が増大したことによる失業対策の側面がありました。

ユースバルジの状況では、若者たちは競争のフラストレーションが溜まり、エネルギーの捌《は》け口《ぐち》が必要になります。第二次大戦後に生まれたベビーブーマーたちが二〇歳前後になる一九六〇年代から七〇年代にかけて、世界各地で学生運動が起こったのも同様です。日本の安保闘争なども「団塊世代」のユースバルジが背景にありました。現在の中東情勢もそうです。若者に残された道は、海外移住、犯罪、テロ、内戦、革命、少数派の迫害、対外侵略ぐらいしかないと、人口学者のグナル・ハインゾーンは著書『自爆する若者たち』で説明しています。

ユースバルジに比べれば、人口減少のほうが、若者にとってはまだマシです。

日本ではこれまでにないほど、若者の価値が高まっています。元気で働く意欲があれば、そして職種の選り好みさえしなければ、若者は就職先に困りません。

現在のようにＩＴ化などビジネスの環境変化が激しいと、中高年はキャッチアップだけでもたいへんな苦労です。ものごころついた頃からネットの世界に親しんできた世代とは勝負になりません。

若者はおそらく今後一〇年ほど、食いっぱぐれることはないでしょう。まさにユースバルジと対極にある社会です。

価値が高騰している時期は、冒険ができます。仕事でしくじってクビになっても、次の勤め先がすぐに見つかるからです。逆に若者をこき使うブラック企業は淘汰《とうた》されます。いまの若者はチャレンジしやすく、早い時期に成功と失敗をたくさん経験した人ほど高いスキルを身につけるものです。人口減少は、若者にとってチャンスだという点にもっと目を向けたほうがいいでしょう。

ただし、人口減少がつづけば、日本の経済力が弱まることはたしかなので、若者は自分たちの価値が高いからと怠けていたら、のちのち痛い目に遭います。若さのエネルギーでイノベーションを起こすという大切な仕事を忘れてはいけません。

定年制廃止が日本を救う

人口減少が進む状況では、貴重な存在である若者に、高齢者の暮らしを負担させるわけにはいきません。まだまだ元気な六〇代がリタイアし、現役世代に肩車されて二〇年以上も生きつづけるのはおかしな話です。

労働人口の不足は、まず定年制を廃止することで補うべきでしょう。男女を問わず、みんな〝年齢フリー〟で働くということです。

定年制はもともと、新卒一括採用、終身雇用、年功序列のなかで誕生したしくみです。定年制を廃止するには、一括採用や年功序列も同時になくすのが簡単です。通年採用が当たり前になれば、転職が増えて人材の流動化が進みます。そうなれば、会社が従業員を解雇しやすくなる法律も整備されるでしょう。ミスマッチで就職したまま、三〇年も四〇年も働きつづけるのは、会社も従業員もお互いに不幸です。

定年退職という形で、まだ働ける人から強制的に仕事を取り上げるのはもったいないことです。僕の同級生たちはほとんど年金生活に入っていますが、大学の聴講生になって勉強するなど精力的に活動しています。人間という動物は社会的な触れ合いが大切で、働いているほうが認知症が進みにくいという医師の話はよく聞きます。定年退職で家に引きこもってしまうのは、認知症のリスクを高めるということです。

年齢フリーで働きたい人は、いつまでも働ける。そういう社会を世界に示すことが、超高齢社会にいち早く到達した日本の使命です。

それに、年功序列が撤廃されたら、年齢と関係なく評価される実力主義になるということです。これは若者のほうもやる気がわき、実力があればどんどんキャリアアップできる社会になります。意欲、体力、能力で評価される究極の実力主義社会が誕生するかもしれません。もちろん、賃金は年功序列型から同一労働同一賃金制に移行します。

仮に定年制を認めるとしても、「七五歳以下の定年設定は無効」というシンプルな法律がいいでしょう。

定年制がなくなれば、七〇代八〇代になっても元気に働いて所得税を払い、社会保険料を払う人たちが出てきます。そうなれば、給付のほうは、病気で働けないなど本当に困っている人に集中させることができます。税金の中心は、全国民からお金を集める消費税に切り替えたほうが公平かもしれません。

そのためにはマイナンバーを整備し、所得を把握することも求められます。高齢社会では、消費税とマイナンバーが社会のインフラになります。

このような考え方に切り替えると、若者と高齢者の比率は問題になりません。サポートする側も、される側も全年齢が対象です。年齢で区切らないのが「年齢フリー」であり、「オール・サポーティング・オール」の社会です。

第八章　最大の伸びしろは「選挙」にあり

日本の議員は世界一〝おいしい商売〟

日本が活力を取り戻すには、「高学歴社会」「女性活躍」「ダイバーシティ」の三点が鍵だと説明してきました。それぞれ一点突破の秘策もあります。

しかしその秘策も、ただ唱えているだけでは絵に描いた餅ですから、いつまでたっても実現されません。〝遠い未来の話〟では意味がないのです。

伸びしろは実現させなければ、ただの可能性に過ぎません。日本が実際に伸びていくためには、日本人の一人ひとりが意識を切り替えて努力するとともに、大きな動きとするためにもう一つ重要な変化を起こさなくてはいけません。日本の政治を変えることです。

高学歴社会や女性の活躍には、現在の法律や制度がブレーキになっていることは明らかです。法律や制度を変えるのは政治です。個々人の努力には限界がありますから、政治が変わらなければ、社会は前に進みません。

第八章では、政治に着目して、日本の伸びしろを考えていきましょう。

政治家の数について話すとき、「日本は政治家が多い」「いや、少ない」と両極端の意見が聞かれます。どちらが正しいのか、ファクト、数字、ロジックで検証してみましょう。

日本の国会議員は現在、衆議院は四六五人（小選挙区二八九人・比例代表一七六人）、参議院は二四八人（選挙区一四八人・比例代表一〇〇人）です。これは人口一〇〇万人あたり政治家が五・七人ほどいる計算になります。ＯＥＣＤ加盟国で比較すると、三八カ国中で三六位ですから三番目に少ない数字です。

北欧諸国は三〇人以上もいて、連合王国は二一・八人、フランスは一四人、ドイツで八・五人です。アメリカは一・七人と日本より少ないものの、連邦議会制かつ大統領制のため、日本の国会議員とは役割が違うので単純に比較できません。

国際社会から見れば、日本の議員は数が少ないのです。

人口あたりの議員が少ないと、市民一人ひとりの意見が反映されづらいことになります。意見の多様性に欠けてしまい、さらに議員数を減らすのが国民の利益にかなうことなのかと疑問がわきます。

定数削減も議論されましたが、それももともとは消費税を八％に引き上げる際、「国民に負担を強いるだけでなく、政治家も自ら身を切るべきだ」という論理から出てきたものです。当時の野田佳彦首相が党首討論の場で「自民党も定数削減に応じるのであれば解散してもいい」と言って、自民党の安倍晋三総裁は同意しました。

その後、安倍政権のあいだは大幅な定数削減は先送りされました。そもそも政治家が身を切るのであれば、人数を減らすのでなく、議員給与を減らす方法もあります。なにしろ、日本の議員給与は世界最高水準だからです。

日本の国会議員給与は、一人当たり月額約一三〇万円。それに加えて、約六二八万円の賞与（期末手当）があります。年収にすると、約二二〇〇万円です。給与とは別に、調査研究広報滞在費として年間一二〇〇万円、立法事務費として年間七八〇万円、秘書三名を雇うために約二〇〇〇万円が支給されるなど、合計すると議員一人当たりの経費は年間約六〇〇〇万円以上にもなります。

国によって諸手当の制度が異なるものの、単純に給与と賞与だけを比較すると、日本の国会議員給与はアメリカの二倍、連合王国の四倍にもなります。

日本は地方議員の報酬も高く、世界一の水準です。スイスやフランスでは地方議員はほぼ無報酬ですし、アメリカやドイツでも州や大都市の議員を除くと、報酬はほぼボランティアに近いレベルです。

ヨーロッパ諸国の議員報酬が低水準なのは、ヨーロッパではローマ帝国以来、「指導階級にある者は質素な服を着て、質素なご飯を食べるのが当然」というノブレスオブリージュの思想が根づいているからでしょう。議員は公僕であり、市民が毎晩おいしいお酒を飲めるように陰で尽力するのがストア派から伝わる指導階級の伝統となっています。日本の政治家にはなかなか見られない気概です。

日本では、議員のポストが少なく、給与が高い。その状況から何が起こるのかは容易に想像できるでしょう。「こんなうまみのある商売は手放したくない」と、議員たちは考えます。国の未来よりも、次の選挙で当選することが大事。こんないい商売は子や孫にも受け継がせたい、と世襲議員が増えるのも当然です。

衆議院議員四六五人のうち、四分の一弱が世襲議員です。自民党でみると三分の一となります。第二次安倍内閣のときは、閣僚に選ばれた自民党議員一八人のうち九人が世襲議員だと話題になりました。もちろん、世襲だろうと政治家としての能力が高ければ問題ありません。しかし、新内閣の顔ぶれを見るたびに「聞いたことのある苗字」ばかりが並ぶのはやはり違和感を覚えます。

アメリカの世襲議員は、五%程度です。ケネディ家、ブッシュ家、クリントン家などをよく聞くので、世襲が多いように見えるアメリカでも、連邦議員については二世議員はわずかなのです。また、連合王国の上院は、一九九九年に当時のブレア労働党政権が民主化改革を進め、世襲貴族の議員を約七五〇人から九二人に大幅削減しています。

日本は人口比で議員数が少なく、そのなかで世襲議員が占める割合が多い。極論をいえば、議員数を二倍に増やし、議員報酬を半分以下に減らせば、子や孫に「地盤」を継がせるモチベーションは下がるはずです。そのほうが、国や地方の未来を本気で考える志の高い議員が増えるのではないかと思います。

短期政権が先送りを生んだ

二〇二〇年九月に菅政権が発足し、二〇一二年一二月から七年八カ月にわたる第二次安倍政権が終わりました。ここ三〇年で連続在職日数が最長だったのは小泉政権の五年五カ月です。

一九九〇年からの三〇年間を見ると、内閣総理大臣を務めた政治家は延べ一七人ですから、単純に年数を人数で割ると平均で一年九カ月ほどです。これだけ頻繁に首相が替わるのは先進国のなかで日本とイタリアぐらいで、そのほかは平均在任期間がだいたい六年以上、首相の座に一〇年以上いるケースも珍しくありません。

会社に置き換えて考えると、社長が二年足らずでコロコロ替わるのですから、長期的な視野で経営を考えることができなくなります。社員の痛みを伴う大改革など断行する気にならないでしょう。「自分は二年後にはもう社長じゃない」と思ったら、みんなから嫌われることはやりません。人間は去り際の評価を気にしますから、「中途半端に手をつけるぐらいなら、次の社長に任せよう」と考えるのがふつうです。その結果、短期的な施策しか打てなくなります。

オーナー社長のように、自分が一〇年後もトップにいるつもりなら、たとえば五年で満期がくる社債を乱発するような真似はしないでしょう。償還の時期を迎えて尻拭いするのも自分だからです。国のリーダーに話を戻せば、「自分は一〇年後も首相だろう」と考えたら国債の乱発はできないはずです。

そう考えれば、ドイツが財政黒字であることも腑に落ちます。史上初の女性首相となったメルケル前首相は、二〇〇五年から一六年も長期政権をつづけました。

日本の政治が、財政再建を筆頭に重大な課題をどんどん先送りするのは、そういう長期的な思考ができないからでしょう。驚くことに、戦後の日本で、衆議院議員が解散なしに四年の任期満了を迎えたのは一度きり、一九七六年の三木武夫内閣のときだけです。その一回を除くと、あとはどの政権も首相が解散権を行使しました。これは「政策」による判断ではなく、どれも「政局」が最大の理由でした。

日本はそれだけ国政選挙が多く、毎回の投票率はあまり高くありません。たとえば、二〇一七年の第四八回衆議院議員選挙は、投票率が五四％弱でした。各国の国政選挙投票率を見ると、オーストラリアは九〇％以上、ドイツは七五％以上、イタリアは七〇％以上、Ｇ20平均とＯＥＣＤ平均はともに六七％台です。四二％台のフランスなどに比べれば高いものの、日本の投票率は先進国のなかで低いほうです。

さらに投票率の内訳を見ると、投票所に足を運ぶのは年配者が多く、若い世代との格差が大きいことが特徴です。ＯＥＣＤの調査では、三五歳以下の世代と五五歳以上の世代では、投票率に約二五％もの差があります。これは連合王国に次ぐ大きな差です。これでは、各政党が年配者重視の政策を打ちだし、ますます若者の投票意欲が削《そ》がれるという悪循環に陥りかねません。

若い世代は政治にまったく関心がないわけではないと思います。アンケート調査では「政治に関心がある」と答える人が半数ぐらいはいます。外国に比べたら寂しい状況ですけれど、若者の半数は政治に関心がある。それなのに二〇二一年の第四九回衆議院議員選挙でも、投票率は五五・九三％と、前回の二〇一七年より二・二五％しか上がりませんでした。

選挙は「より望ましい政府」をつくるためにある

若い世代には「投票したい候補者がいないから、選挙に出かける気にならない」という人がいます。この意見は、前提が間違っています。「政治家というものは、魅力あふれる優秀な人物がなるべきだ」という考えが根底にあるからです。政治家になりたがっている人間に、どれくらいまともな人物がいるでしょうか。冷静に考えれば、わかると思います。

「まともではない人たちのなかで、相対的にちょっとはマシな人物を選ぶ忍耐のことを選挙と呼ぶ」

これは二〇世紀を代表する連合王国の政治家ウィンストン・チャーチルの言葉です。政治家を志す人たちの大部分はまともではない。目立ちたがり屋であったり、モテたいと思っていたり、私腹を肥やそうとたくらんでいたり、ろくでもない人間ばかり。そんな連中ばかりが立候補しているのだから、他の候補者に比べて「ちょっとはマシかな」と思える人物を見つけだすのは忍耐がいる仕事だと。

当時に比べたら、いまはインターネットがあるから、ちょっとマシな候補者を探し出すのは簡単です。候補者の政策や発言、実績などを調べて、「このなかで一番マシなのは誰か」「ちゃんと働いてくれそうなのは誰か」「自分の感覚に近いのは誰か」と見極めるということです。そういう情報収集は、若い世代はお手のものでしょう。

さらにチャーチルはこう言いました。

「民主主義というのは最低のしくみだ。過去の王政や貴族制を除けば」

民主主義はまったくアテにならないしくみだけど、民主主義が誕生する以前に比べたら、よっぽどマシだというわけです。チャーチルに言わせれば「人間は愚かな奴ばっかりだから、何ごともちょっとマシなものを選んで進歩していくしかないなぁ」というわけです。

これは世界中の人が、選挙や民主主義について知っておくべき最低限のコモンセンスです。チャーチルの言葉を知っていれば、「候補者のレベルが低いから、投票なんて馬鹿馬鹿しくてやってられない」といったトンチンカンな意見は出てこないはずです。

議会制民主主義といえば、人類が発展させてきた理想の政体、ベストの政体だと考えがちです。しかし民主主義は決してベストではありません。あくまで、他の政体に比べたらベターといったところです。完璧ではありませんから、いつワースやワーストに転げ落ちてもおかしくないのが民主主義です。そういう認識で、議会や選挙を捉え直す必要があります。

北欧では選挙について、次のように教えているそうです。

「あらゆる選挙について、メディアは事前予想を発表する。その予想どおりの結果を望むなら、有権者には三つの方法がある。第一は、投票所に出かけてそのとおりに投票する。第二は、投票所に出かけて何も書かない白票を投じる。第三は、投票所へ出かけないで棄権する。どの方法を選んでもメディアの事前予想と同じ結果となる。もし、事前予想のとおりでは自分は嫌だと思ったら、とるべき方法は一つしかない。それは投票所へ足を運び、事前予想とは別の名前を書くこと。これが選挙というものだ」

実に、具体的かつ現実的な説明で感心します。みんながこのように教わったら、若い世代も選挙に出かけていくことでしょう。

ある外国人に「日本人の政治に対する姿勢は、本当に不思議ですねぇ」と言われたことがあります。日本人の知り合いたちと居酒屋で飲んでいたら、たいてい「いまの政府はけしからん」「あの経済政策は間違っている」という話になる。若い世代も政治への関心はわりとあって、酔ってくると政権批判に熱が入ってくる。いくつかの集まりに顔を出したら同じ調子なので、「これは次の選挙で新政権が誕生するな」と楽しみにしていたら、そんなことはまず起こらない。あれだけみんなが政治について熱く語っているのだから、投票率はオーストラリアみたいに九〇％を超えてもよさそうなのに、いつも五〇％をやっと超える程度。

「政府は自分たちでつくるもの、そのために行うのが選挙です。自分が投票に出かけても出かけなくても大勢に影響しないと考えるのは、まったく根拠がない思い込みですよ」

その外国人は、居酒屋での熱気はどこへいってしまうのかと首をかしげていました。

投票率が低いと有権者が損をする

若者だけでなく現政権に不満がある人が投票に出かけないと、政治が変わらないのは当然のことです。それは簡単な算数で説明できます。

どんな社会でも、政権から恩恵を受けている人たちは二〇％ほどいると考えられています。一万人いれば二〇〇〇人、一〇〇万人なら二〇万人が、現政権から何かしらの既得権をもらっている。自民党政権なら、補助金などで延命しているゾンビ企業や農業、漁業の関係者がその典型です。

この二〇％は現政権が倒れたら困るので、必ず選挙に出かけて現政権与党の立候補者に投票します。自分たちの利益代表者にもっともっと頑張ってもらいたいから応援するのは当然です。政治家の後援会はそのためにある組織です。政治家は次の選挙でも、このおいしい仕事に就きたいから、後援会の要望には真っ先に応えます。「日本はこのままでええよ」という既得権益者の声を政治に反映させます。

投票率が五〇％なら、そのうち二六％の票を獲得すれば間違いなく当選できます。現政権与党の立候補者は、およそ二〇％は既得権益者が投票してくれます。あと六％の票をプラスできたら過半数となって当選確実です。この六％の票があればいい。たった六％を呼び込むための選挙活動は楽チンです。

ところが、現政権与党ではない立候補者は、既得権益者がいないので二〇％がありません。確実に当選するには二六％の票をまるまる獲得しなくてはいけません。現政権与党の立候補者の四倍から五倍の票を集めるのですから大変です。

もし投票率が九〇%以上だったら、既得権益者が二〇%いるとしても四分の一以下の少数派です。これなら現政権が政策で失敗したら、他の政党が取って代わるチャンスはいくらでもあります。

逆に、投票率が低ければ低いほど、政権交代は起こりにくい。投票率が四〇%ぐらいまで落ちれば、現政権は選挙に楽勝となり、いつまでも維持できるでしょう。かつて日本の総理大臣が「選挙に関心のない人は寝ていてくれたらいい」と発言して物議をかもしましたが、これは正鵠《せいこく》を射た発言でした。

投票率が高ければ、議員の新陳代謝が活発になって、それだけ国民の声が届きやすくなる。新しい議員が誕生しやすくなり、政治家として能力が低い世襲議員は淘汰されるでしょう。閣僚の半分が世襲議員という異常事態も、投票率が低いことが遠因だということです。

日本人の喫煙率は一六%ほどまで下がりましたが、国会議員の六割以上がタバコを吸っています。これだけを見ても、ずいぶん民意とは遠いところにいる人たちだと思えます。投票率が低いから、強い後援会がついているおじさん、おばさんばかりが議員になっているのです。

日本のマスコミが、本気で政治の健全化を望むなら、いまの算数をつかって説明し、投票率が上がるように働きかけるべきでしょう。「若者が選挙に出かけないのは、棄権によって現政権への不満を意思表示している」という解説はピントがずれています。現政権に不満があるなら、なおさら投票に出かけるはずだからです。そんな解説は何の足しにもなりません。むしろ棄権が多いことが、現政権を支えていると解説すべきです。

自分の生活を少しでもよくしたいなら、投票に出かけて気に入らない政治家を落選させる。先に紹介したチャーチルの至言を学校教育でしっかり教えるべきです。若い世代の投票率が低いのは〝無言の抗議〟などではありません。単に選挙の構造を知らないだけです。

高度成長期は、国民の多くが経済問題では不満が小さかったので政治家もそれほど苦労しませんでした。年平均七％も企業の業績が伸び、みんなの給料が増えていれば、不況下ほど政治への不満は大きくなりません。

経済成長にともなって税収も増えたので、困っている人たちに補助金を出したり支援したりできました。インフラ整備もその一つです。たとえば、高度成長期の総理大臣だった田中角栄は、東京で集めた税金を使って、ふるさとの新潟と東京を結ぶ上越新幹線を計画し、実現しました。富の再分配によって国民全体の不満を抑えることができたのです。

バブル崩壊後の不況下になると、企業業績が悪化して、法人税も所得税も以前より減りました。税収が減れば、困っている人たちにお金をまわすには、別のところで税金を増やさなくてはいけません。政府が「さて、どの税金を増やそうか」と考えるとき、二〇%ほどいる既得権益者たちは税金が増えない可能性があります。後援会の人たちが増税されない形で、税収を増やす方法を考えてもおかしくありません。黙って見過ごせば、一部の人たちが利益を受け、大多数の人たちが困るような政策になりかねない、ということです。

そういう事態を避けるために選挙があります。チャーチルが言ったように、愚かな政治家がたくさんいるなかからちょっとマシな政治家を選ぶ。マスコミの事前予想を見て、「この愚かな政治家に任せたら、日本はみんなが困ったり苦しんだりする国になるな」と思ったら、そのダメな候補者を落とすためにちょっとマシな政治家に一票を投じる。そのために選挙のときは投票所に出かけるしかない、ということです。

戦争が愚かに思える社会をつくるには

戦争がないことは、たしかに理想的な社会の条件の一部です。どれだけ経済が成長しても、戦争で国民の多くが死んでしまっては意味がありません。豊かな経済活動は、平和の上に成り立つものです。

アジア太平洋戦争で三一〇万もの日本人が命を落としたのは、当時の戦争が国家総力戦だったからです。人間も含めて国力を総動員して戦うのが総力戦です。

現代では、国家総力戦のような戦い方は、費用対効果から考えてまず起こりません。「それだけコストをかけても得るものは少ない」とお互いにわかっているからです。もっともプーチンのロシアはその枠内に収まりませんでしたが。

いまはコンピュータでコスト計算が簡単にできます。ＡＩが発達すれば、勝ち負けの予測も含めて、より正確に費用対効果が計算できるでしょう。アジア太平洋戦争の頃は「やってみなくてはわからない」といい加減に戦争をはじめていたから、勝てるはずもない戦争に突入したといえます。ＡＩほど高性能なコンピュータがなくても、ＧＤＰで一〇倍以上の格差がある大国に戦争を仕掛けるような暴挙はなかったでしょう。

技術進歩は、戦争を開始するハードルを上げることもあれば、逆に下げることもあるということです。刀や槍で戦った頃と違って、いまはミサイルのボタンを押せば戦争ができる。技術が戦争のハードルを下げた。その一方で、勝敗やコストを精緻にシミュレーションできるようになったから、戦争になりにくいともいえます。コンピュータのなかで何百回、何千回とバーチャルに戦ってみて「これは勝ち目がないからやめとこ」となるわけです。

日本の国防についても、シンプルに考えれば、答えは出ています。日本は財政赤字で、ものすごい借金を抱えているから新規投資ができない。自主防衛のコストは高いから、そこへの投資は無理です。

高速道路や鉄道の補強などのインフラ投資も教育投資もできない国が、いまから強固な軍隊をつくろうとするなど愚の骨頂です。消費税を三〇％ぐらいまで上げて、それで軍備を増強するならできるかもしれません。しかし消費税一〇％で大騒ぎする国民が、そんなプランを提案する政治家に投票するはずはないでしょう。

現在のＧＤＰを考えれば、日本の国防はアメリカを頼るほかありません。ＧＤＰから考えて、ほかにあるとすれば中国ぐらいです。しかし、「これからは中国に守ってもらうので、米軍さんはもうお引き取りください」とアメリカに言えば、日本はまたボコボコにされてしまうでしょう。そんな交渉ができる政治家は日本に見当たりません。日本は「捨てないでね」とアメリカにすがる以外にないということです。国防のコストはそれぐらい高いと認識しておいたほうがいいでしょう。

どんな時代に生きたいか

　過去の日本で、僕が生まれたいと思うのは室町時代です。婆娑羅《ばさら》大名に象徴されるように、身分秩序にとらわれることなく、実力主義が当たり前だった社会です。ド派手な服を着ても、振る舞いが常識破りでも「文句があるか」といったデタラメさ。現代ならパワーあふれるロックンローラーです。

　諸大名の軍勢が将軍の御所を取り囲む「御所巻《ごしょまき》」などは、記録を読むだけでも痛快です。たとえば足利尊氏が「こんな方針でやるで」と執事の高師直《こうのもろなお》に政策を伝える。高師直は「わかりました」と引き下がりますが、家臣たち関係者にはかったら「これはあかん」となって、それからみんなで出かけて足利尊氏の屋敷を取り囲む。屋敷の前でガンガン抗議する。いまでいえば、国会前に集結するデモ隊です。仰天している尊氏の前に高師直が現れて、「大将、えらいことですよ。あなたの言ったとおりに部下たちに伝えたらみんな猛反対して大騒ぎになっていまっせ」と説明する。さらに「みんな何するかわかりませんすわけです。

それじゃあ、鎮《しず》めてきましょう」とデモ隊のところへ出かけ、「あれ、なくなったで」と話

よ」とダメ押しすると、尊氏は「わかった、取り消すわ」と政策を撤回し、高師直は「そ

想像するだけでも、こんな活気があって楽しい社会はありません。江戸時代に比べたら、みんながそれほど自由だったということです。

現代の世界で考えれば、フランスがいいでしょう。働いている女性のほうが赤ちゃんを多く産む。エマニュエル・マクロンのようなほぼ無名だった若い政治家が大統領になる。フランスには問題が山ほどあるものの、室町時代と似た自由と活気を感じます。マクロンは二期目の大統領となりました。

自分が死ぬときに「生まれ変われるとしたら、また日本がいいな」と思えるかどうか。そのような理想的な社会を実現するために、僕たちは選挙のたびに投票に出かけなくてはいけないのです。

読者の皆さんの忌憚のないご意見をお待ちしています。

メールアドレス　hal.deguchi.d@gmail.com　（著者）

出口治明（でぐち　はるあき）

立命館アジア太平洋大学（APU）学長、ライフネット生命保険株式会社創業者。1948年、三重県に生まれる。京都大学法学部を卒業後、日本生命保険相互会社に入社。ロンドン現地法人社長、国際業務部長などを経て、2006年、退社。ライフネット生命社長、会長を務め、2018年より現職。2021年1月に脳卒中を発症、約1年の休職の後、校務に復帰。主な著書に『歴史を活かす力』（文春新書）、『0から学ぶ「日本史」講義』シリーズ（文藝春秋）、『還暦からの底力』（講談社現代新書）、『人類5000年史』シリーズ（ちくま新書）などがある。

文春新書

1380

日本《にほん》の伸《の》びしろ　悲観《ひかん》を成長《せいちよう》に変《か》える思考力《しこうりよく》

2022年10月20日　第1刷発行

著　者　出口治明

発行者　大松芳男

発行所　株式会社　文藝春秋

〒102-8008　東京都千代田区紀尾井町3-23

電話（03）3265-1211（代表）

印刷所　理想社

付物印刷　大日本印刷

製本所　大口製本

定価はカバーに表示してあります。

万一、落丁・乱丁の場合は小社製作部宛お送り下さい。

送料小社負担でお取替え致します。

ISBN978-4-16-661380-9